Branca Alves de Lima

ALFABETIZAÇÃO PELA IMAGEM
Renovada, ampliada e atualizada com o Novo Acordo Ortográfico

133ª EDIÇÃO

© Direitos autorais reservados
(das técnicas associativas, dos desenhos e dos textos)

Copyright desta edição © 2019 by Edipro Edições Profissionais Ltda.

Todos os direitos reservados. Nenhuma parte deste livro poderá ser reproduzida ou transmitida de qualquer forma ou por quaisquer meios, eletrônicos ou mecânicos, incluindo fotocópia, gravação ou qualquer sistema de armazenamento e recuperação de informações, sem permissão por escrito do editor.

Grafia conforme o Novo Acordo Ortográfico da Língua Portuguesa.

133ª edição, 3ª reimpressão 2023.

Créditos da edição original

Ilustrações da capa e dos textos: Eduardo Carlos Pereira (Edu)
Diagramação: Branca Alves de Lima
Artes caligráficas: Dora Gregori

Créditos desta edição

Coordenação editorial: Fernanda Godoy Tarcinalli
Produção editorial: Carla Bitelli
Revisão: Cátia de Almeida
Arte (atualização digital): Balão Editorial e Karine Moreto de Almeida
Impressão: Gráfica Grafilar

Dados Internacionais de Catalogação na Publicação (CIP)
(Câmara Brasileira do Livro, SP, Brasil)

Lima, Branca Alves de, 1911-2001.

    Caminho Suave / Branca Alves de Lima ; [ilustrações de Eduardo Carlos Pereira]. – 133. ed. renov., ampl. e atual. com novo acordo ortográfico. – São Paulo : Caminho Suave Edições, 2019.

    ISBN 978-85-89987-39-4

    1. Alfabetização 2. Cartilhas I. Pereira, Eduardo Carlos. II. Título.

19-25019   CDD-372.4

Índice para catálogo sistemático:
1. Cartilha : Alfabetização : 372.4

Iolanda Rodrigues Biode – Bibliotecária
– CRB-8/10014

São Paulo: (11) 3107-7050 • Bauru: (14) 3234-4121
www.caminhosuave.art.br • edipro@edipro.com.br
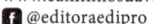 @editoraedipro  @editoraedipro

1 – Ligue Fábio a cada parte de seu corpo.
   Marque **X** na parte que ficou faltando.

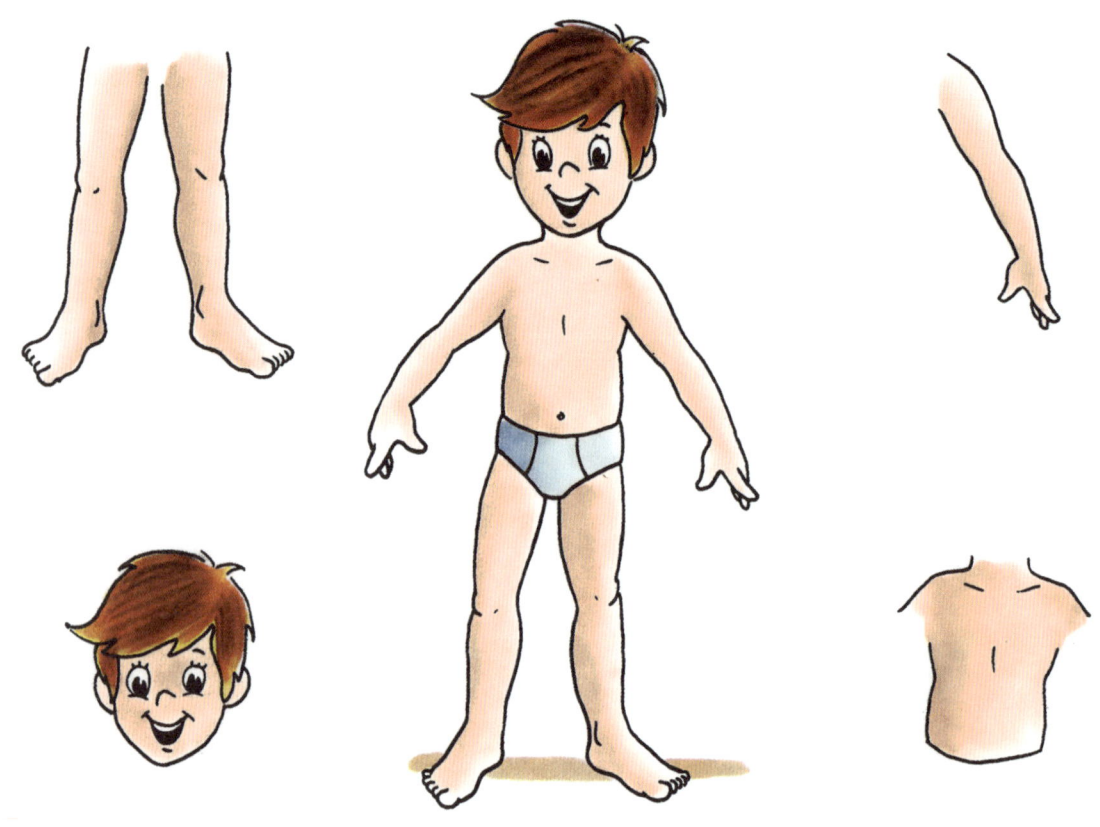

2 – Fábio está fazendo ginástica.
   Ligue-o à sua sombra.

3 – Complete o rosto de Didi.

4 – Pinte a menina que mexeu a cabeça e os braços.

5 – Ligue as meninas parecidas e que estão na mesma posição.

6 – Assinale com **X** Fábio, que está mexendo os joelhos e os cotovelos.
    O que o outro menino está mexendo?

7 – Leve o bebê até o chocalho.

8 – Desenhe o umbigo na barriga do bebê.
   Depois, ligue o bebê aos objetos que ele usa para tomar banho.

9 – Desenhe as partes que faltam no bule e na xícara.
   Em seguida, desenhe uma caneca **entre** eles.

10 – Complete o desenho como quiser.

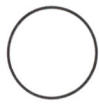

11 – Circule os animais que têm quatro pés ou patas.
    Faça **X** naqueles que têm dois pés.

12 – Cubra os saltos que o gato deu para caçar o rato, contando de 1 a 10.

13 – Pinte o guarda-chuva **grande aberto**.
Circule o **pequeno fechado**.

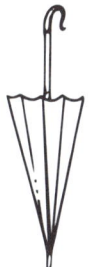  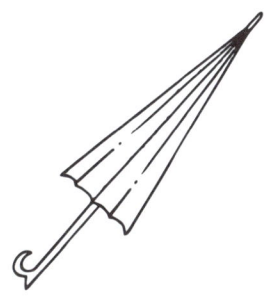 

14 – Observe os balões. Marque **X** no que aconteceu **primeiro**.
Circule o que aconteceu por **último**.

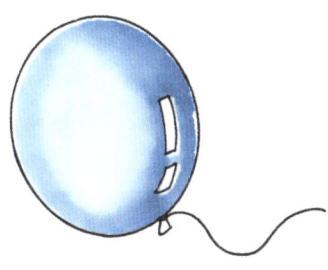 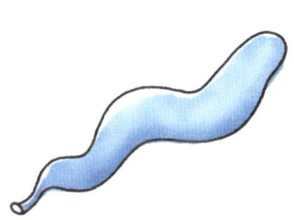 

15 – Faça **X** na garrafa que está **na frente** dos copos.
Risque a que está **atrás** dos copos.
Circule a que está **ao lado** dos copos.

16 – Faça **X** nos objetos que **produzem som**.
Pinte-os de amarelo.

 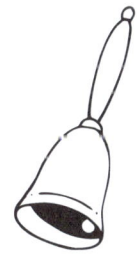 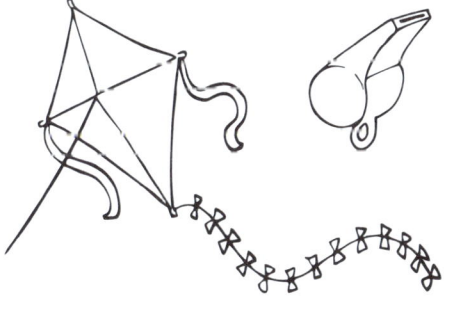 

17 – Leve o passarinho até o ninho.

 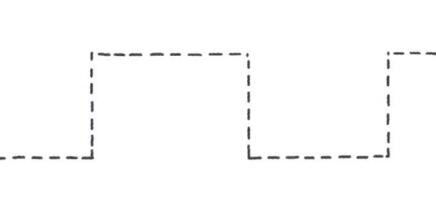 

18 – Circule os animais que mamam quando filhotes (mamíferos).

19 – Continue colorindo as contas do colar. Siga o modelo.

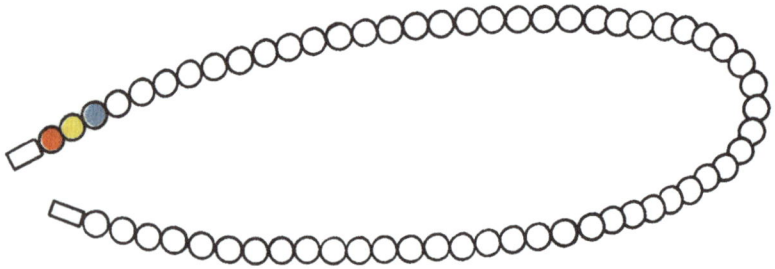

20 – Desenhe uma bola **debaixo** da cama do bebê.
     Em cima da cama de Fábio, desenhe uma peteca.

21 – Faça pintinhas vermelhas na fita **larga** de Didi.
     Pinte de azul a fita **estreita**.

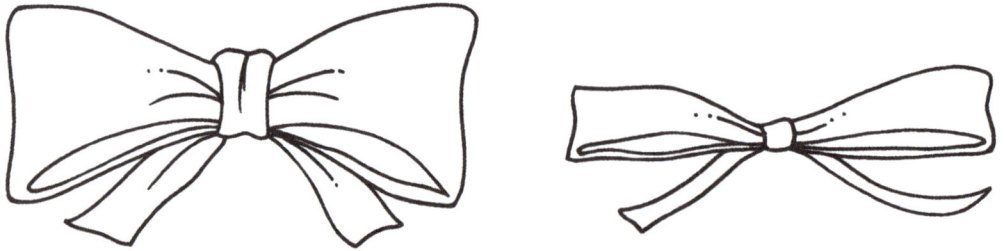

22 – Cubra o caminho da abelha até a flor.

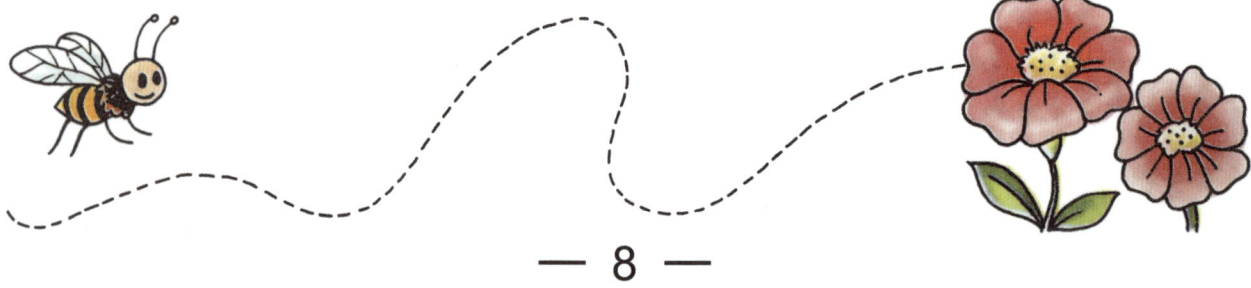

23 – Ligue cada blusa ao seu retalho.

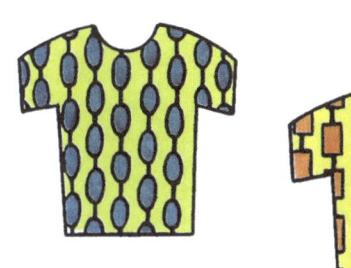   

24 – A formiga e o caracol apostaram corrida.
Ligue até a pedra quem vai chegar primeiro.

25 – As coisas de Fábio estão bagunçadas.
Pinte de azul o **material escolar** dele.

 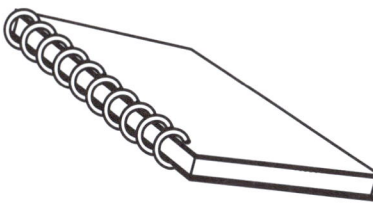 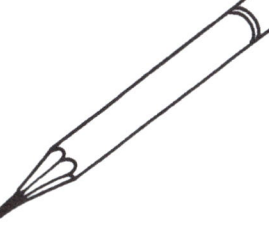 

26 – Marque **X** nos desenhos que estão errados. Por que estão errados?

27 – Continue ligando os pontinhos. Siga o modelo.

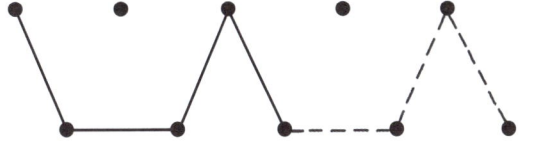

28 – Pinte de amarelo as figuras redondas.

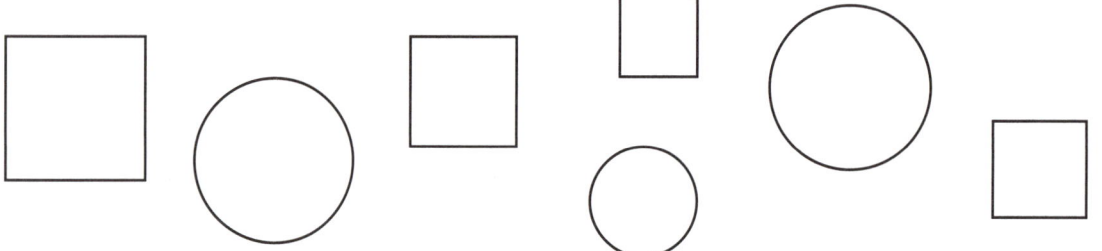

Você pintou os **círculos**.

29 – Pinte os círculos com as cores indicadas.
Quais novas cores você descobriu?

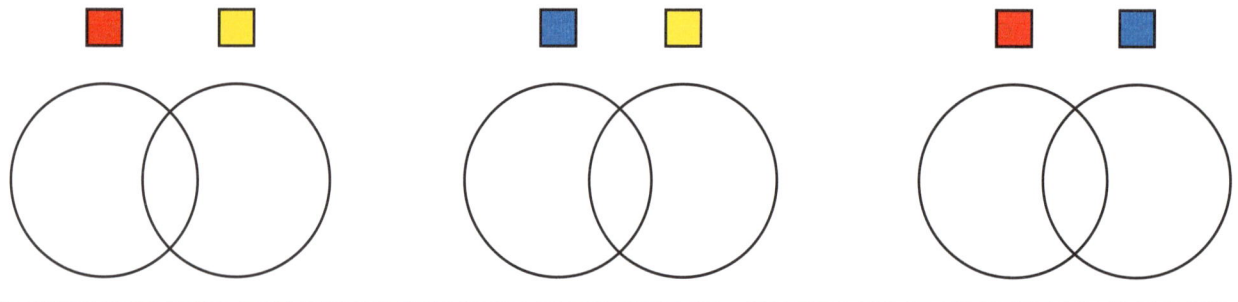

30 – Pinte o que faz mais barulho.

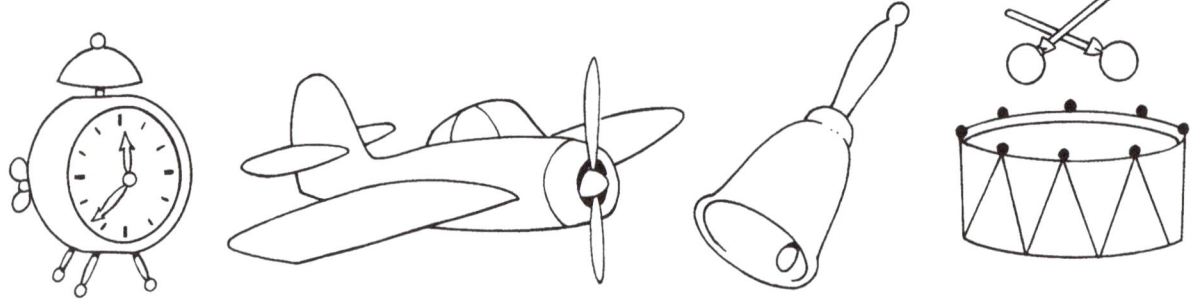

31 – Assinale com **X** o animal que é **maior** na vida real. Circule o que é **menor**.

32 – Leve a formiga ao formigueiro pelo caminho **mais curto**.

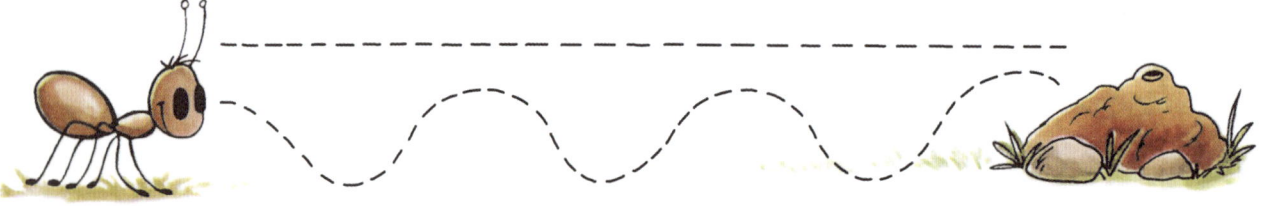

33 – Faça um desenho **dentro** do **quadrado maior**.
Desenhe uma bola **dentro** do **quadrado menor**.

34 – Pinte de laranja os **quadrados** que aparecem no trem.

35 – Desenhe no espaço abaixo um lápis **mais grosso** do que este.

36 – Marque um **X** na bandeja que tem mais copos **vazios**.

37 – Vamos desenhar pirulitos? Cubra o tracejado começando pelo ponto.

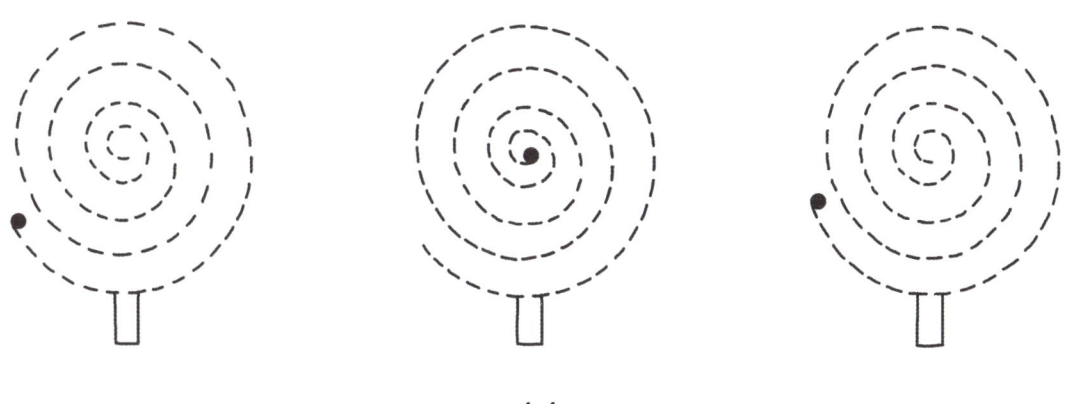

38 – No **triângulo maior** desenhe um chapéu de palhaço.
Pinte o **triângulo menor** com a cor que quiser.

 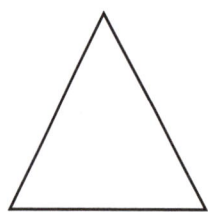 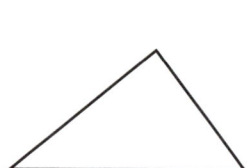 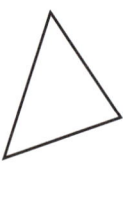

39 – Ligue as figuras que estão na mesma posição.

 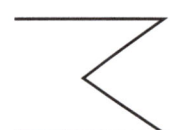   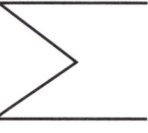

40 – Pinte o carrinho que vai na **frente**.
Circule o que vai **atrás** de todos.

41 – Marque **X** na jarra em que cabe **mais água**.
Circule a jarra em que **cabe menos**.

42 – Ligue os pontinhos. Siga os modelos.

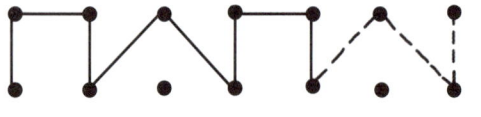

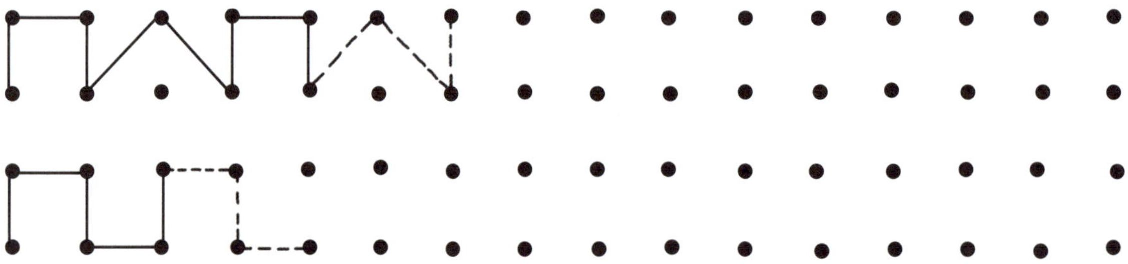

43 – Pinte as figuras em cores diferentes.

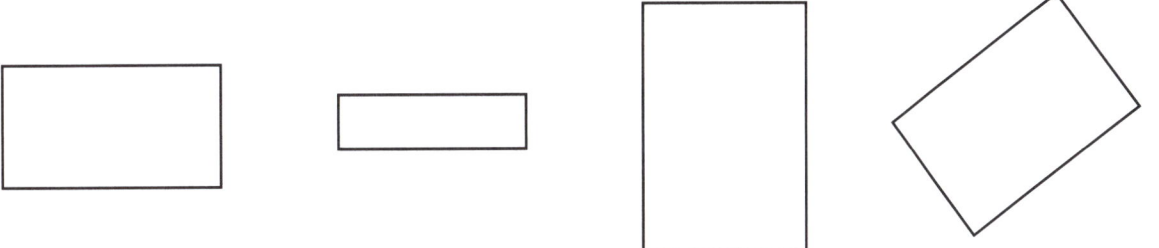

Você pintou **retângulos**.

44 – Faça **X** nos **retângulos** que aparecem nos desenhos abaixo.

45 – Pinte as setas que apontam **para cima**.
Marque **X** nas que apontam **para baixo**.

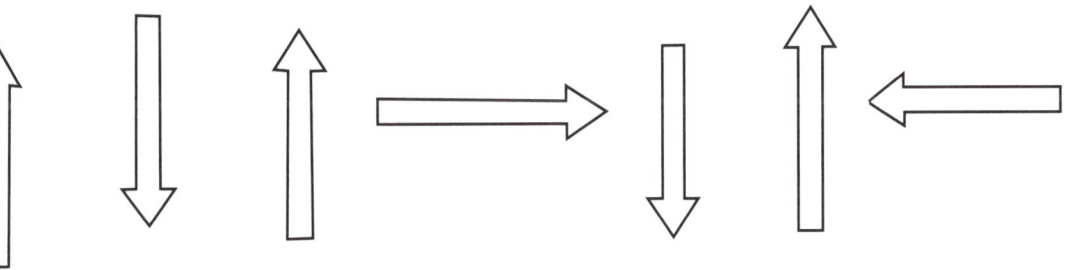

46 – Marque **X** no objeto que é **mais pesado**.
Pinte o que é **mais leve**.

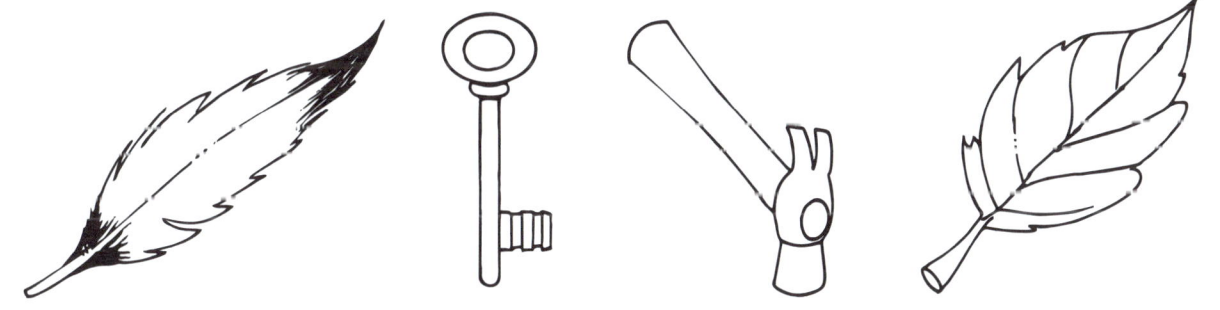

47 – Cubra as voltas que o pernilongo deu para entrar no quarto.

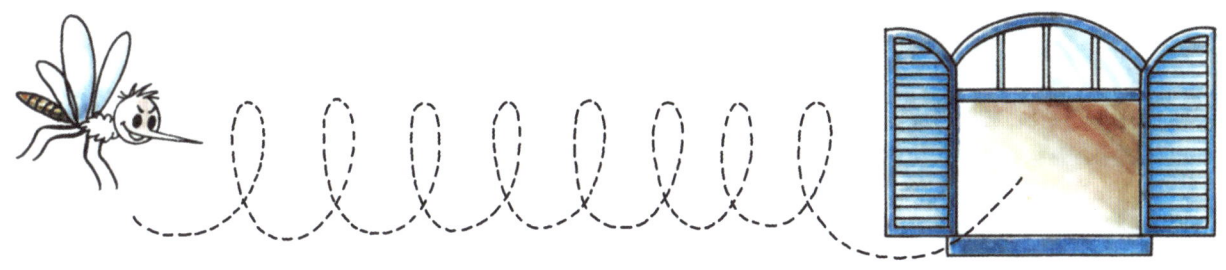

48 – Descubra no desenho da igreja as figuras que estão nas laterais. Ligue-as ao desenho.

49 – Siga a legenda:

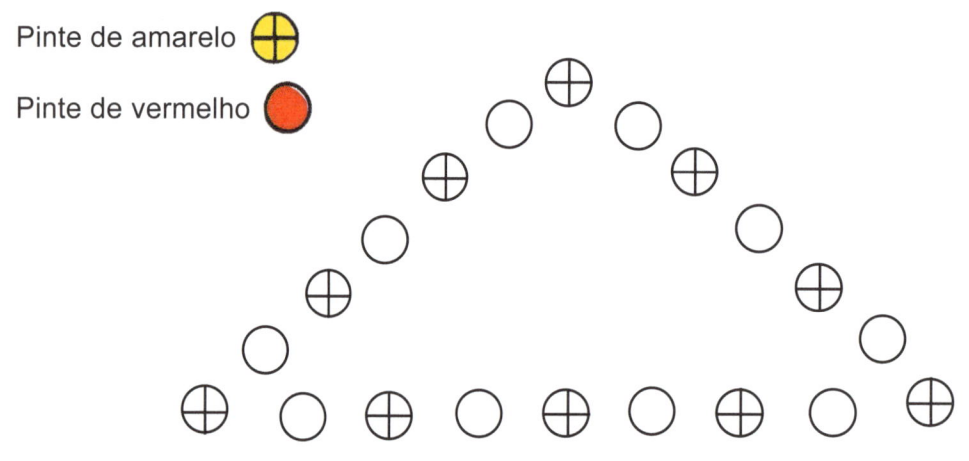

50 – Faça **X** nas figuras que estão na mesma posição da primeira.

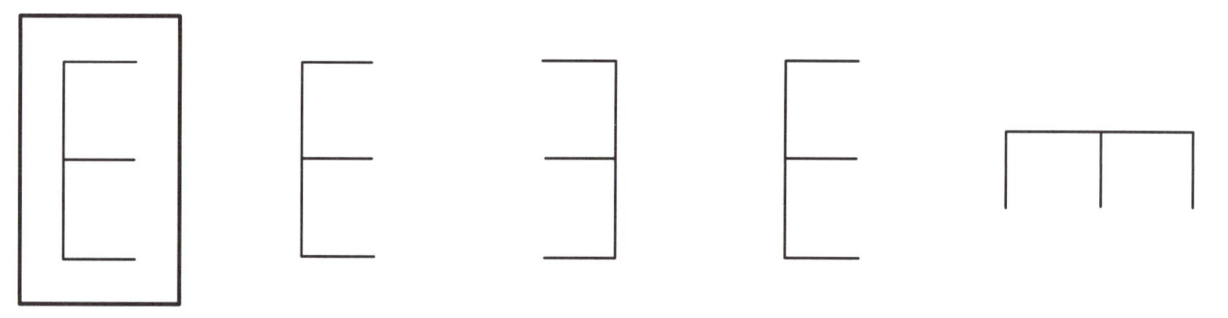

51 – Leve o rato até o queijo pelo caminho **mais comprido**. Não encoste nas bordas.

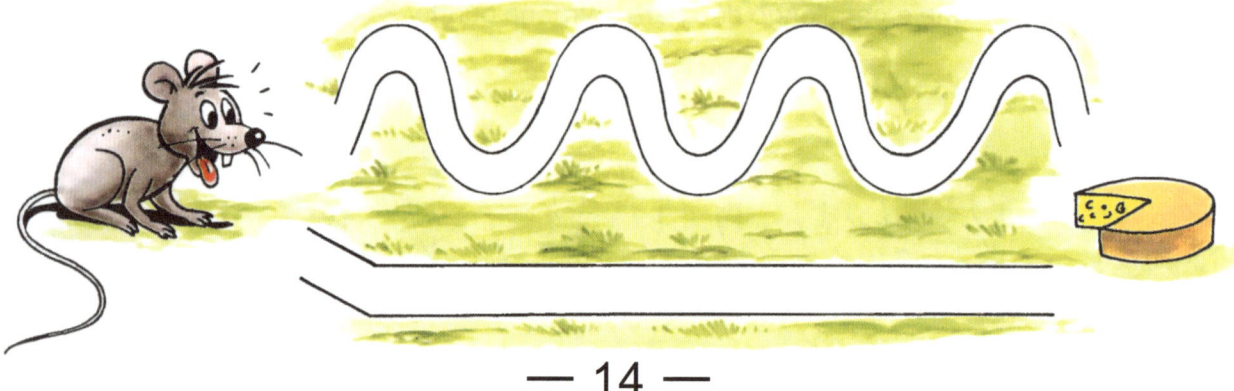

52 – Pinte os quadrados que têm figuras **iguais** dentro.
Circule os que têm figuras **diferentes**.

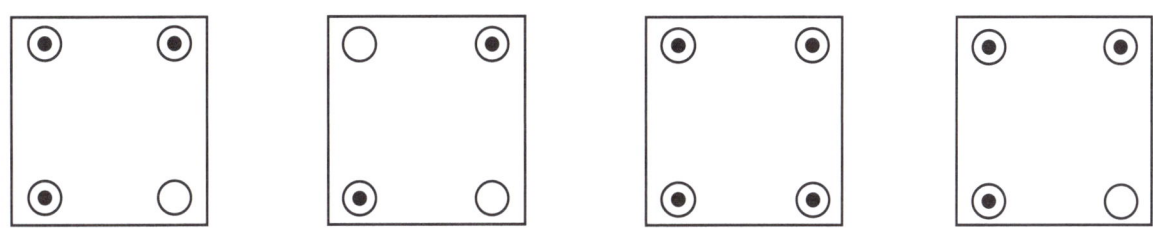

53 – Ligue os objetos que formam **pares**.

54 – Pinte só a árvore e o passarinho.

55 – Os balões mudaram de posição.
Desenhe no quadro ao lado como ficaram.

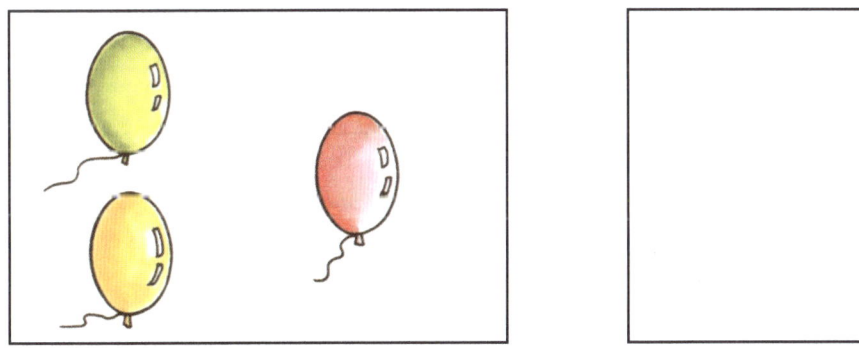

56 – Cubra a linha até chegar ao novelo de lã.

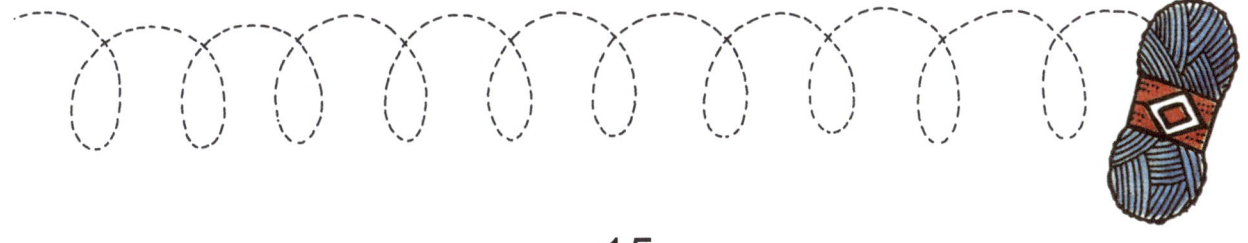

57 – Circule os animais que têm o corpo coberto de penas.

58 – Complete os desenhos para que todos fiquem **iguais**.

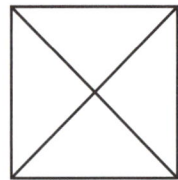 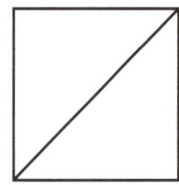  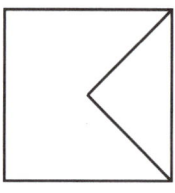

59 – Ligue cada animal à sua casa, passando **por baixo** da borboleta e sem encostar nela.

60 – Marque **X** no Fábio, que chutou a bola com o **pé direito**.

61 – Marque **X** no que o bebê usa no tempo do frio (inverno).

62 – Circule a **mão esquerda** da Didi.

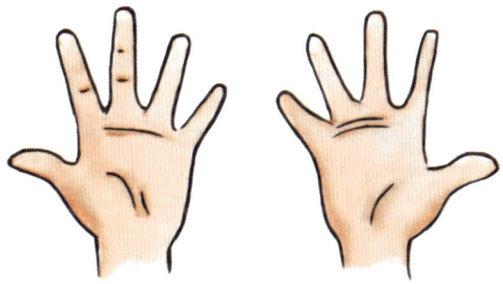

63 – Descubra qual dos cachorros está preso à **mão direita** de Fábio. Pinte-o de amarelo.

64 – Ligue a árvore às suas partes.

65 – Desenhe uma coleira no cachorro que está mais **perto** da casinha.
Pinte o que está mais **longe**.

66 – Pinte a pessoa **mais nova**.
Marque **X** na pessoa de **mais idade**.

67 – Cubra de vermelho o tracejado das **curvas abertas**.
Cubra de verde o tracejado das **curvas fechadas**.

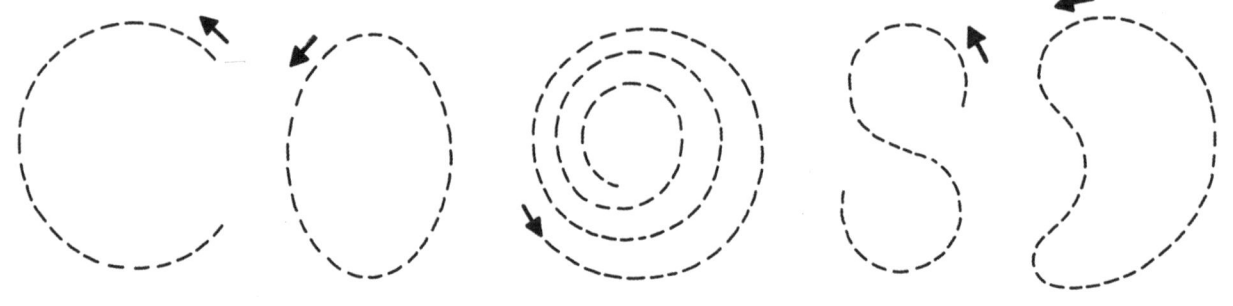

68 – O bebê riscou o desenho de Fábio.
Encontre os animais que ficaram escondidos e contorne-os com lápis de cor.

69 – Pinte o que Didi usa no tempo de calor (verão).

70 – Circule as figuras cujo nome comece como o da figura do quadro.

71 – Circule as figuras cujo nome termine como o da figura do quadro.

72 – Circule as figuras cujo nome termine como o da figura do quadro.

73 – Cubra o tracejado começando da **esquerda**.

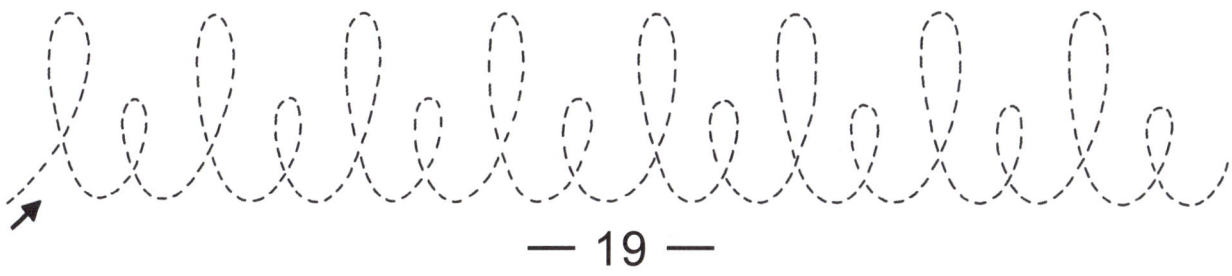

74 – Ligue as letras à direita às figuras que parecem com elas:
– o corpo da abelha;
– a tromba do elefante;
– a janela da torre da igreja;
– o ovo;
– a voltinha da unha.

75 – Cubra o tracejado:

Treino auditivo de palavras começando com: **a – e – i – o – u**.

O bebê e os animais que vivem na casa.

76 – Ligue com o que se parecem:

77 – Cubra o tracejado e copie:

A barriga do bebê.

O rabo do cachorro.

O gato da Didi.

As patas do macaco.

Treino auditivo de palavras com as sílabas: **ba – ca – ga – ma**.

Zazá vai fazer laranjada.

78 – Ligue com o que se parecem:

79 – Cubra o tracejado e copie:

A letra do nome de Zazá, desenhada no avental.

A faca da cozinha.

O cabo da jarra.

O cabinho da laranja.

Treino auditivo de palavras com as sílabas: **za – fa – ja – la**.

O divertimento de cada um.

80 – Ligue com o que se parecem:

81 – Cubra o tracejado e copie:

O dado da Didi junto ao lápis.

q
b
d

A fumaça das chaminés do navio que o vento juntou.

n
n
u

O desenho do tapete onde o bebê senta.

t
t
t

Os quadrinhos que se cruzam no jogo de xadrez do vovô.

+
I
X

Treino auditivo de palavras com as sílabas: **da** – **na** – **ta** – **xa**.

Animais que vivem no sítio.

82 – Ligue com o que se parecem:

83 – Cubra o tracejado e copie:

A cabeça e o pescoço do pato.

As orelhas do rato.

A pata traseira do sapo.

Os chifres da vaca.

Treino auditivo de palavras com as sílabas: **pa** – **ra** – **sa** – **va**.

84 – Leia: 85 – Cubra o tracejado e copie:

abelha	a	a - a - a
elefante	e	e - e - e
igreja	i	i - i - i
ovo	o	o - o - o
unha	u	u - u - u

a A	e E	i I	o O	u U
a a	e E	i I	o O	u U

86 – Ligue cada letra a seu par.

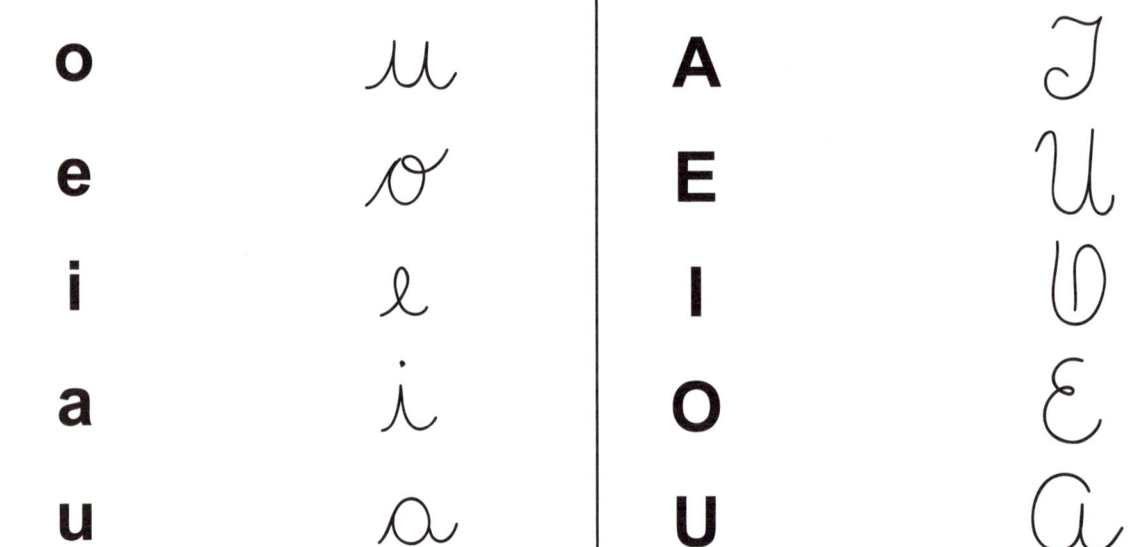

87 – Copie na linha tracejada as **vogais minúsculas** que estão passeando de carro. Pinte os carros.

88 – Copie na linha tracejada as **vogais maiúsculas** que estão nas camisetas penduradas no varal. Pinte as camisetas.

89 – Leia:

90 – Leia:

91 – Leia, cubra o tracejado e copie ao lado:

(ai) 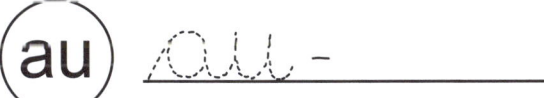   (oi)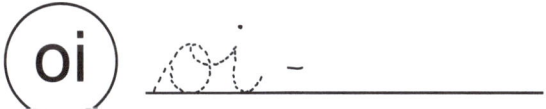

(au) 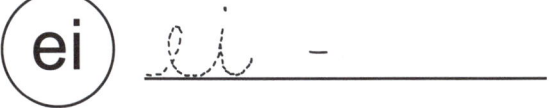   (ou)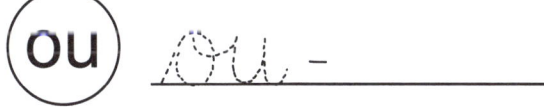

(ei) 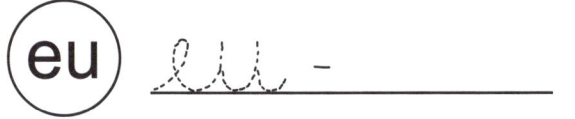   (ui)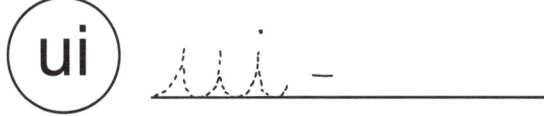

(eu) _____   (uá)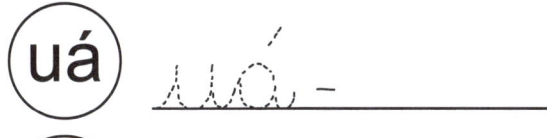

(ia) _____   (uai)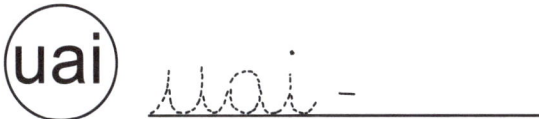

92 – Leia:

93 – Cubra o tracejado e copie:

barriga	**ba**	ba - ba - ba ba - ba -
cachorro	**ca**	ca - ca - ca ca - ca -
faca	**fa**	fa - fa - fa fa - fa -
gato	**ga**	ga - ga - ga ga - ga -

94 – Ligue como o modelo:

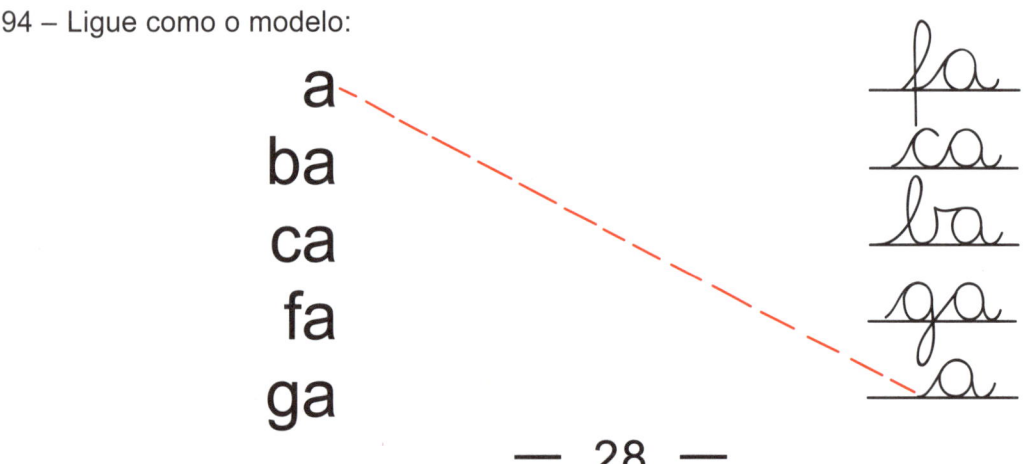

a
ba
ca
fa
ga

95 – Leia:

dado — da

jarra — ja

laranja — la

macaco — ma

96 – Cubra o tracejado e copie:

da - da - da
da -
da -

ja - ja - ja
ja -
ja -

la - la - la
la -
la -

ma - ma - ma
ma -
ma -

97 – Leia:

a	e	i	o	u
ba	ca	da	fa	ga
	ja	la	ma	

98 – Leia:

99 – Cubra o tracejado e copie:

navio **na**

na - na - na
na -
na -

pato **pa**

pa - pa - pa
pa -
pa -

rato **ra**

ra - ra - ra
ra -
ra -

sapo **sa**

sa - sa - sa
sa -
sa -

100 – Leia:

| u | o | i | e | a |

| ba | ca | da | fa | ga | ja |

| la | ma | na | pa | ra | sa |

30

101 – Leia:

102 – Cubra o tracejado e copie:

tapete — ta

ta - ta - ta
ta -
ta -

vaca — va

va - va - va
va -
va -

xadrez — xa

xa - xa - xa
xa -
xa -

Zazá — za

za - za - za
za -
za -

103 – Leia:

| e | a | u | i | o |

| ba | ca | da | fa | ga | ja | la | ma |

| na | pa | ra | sa | ta | va | xa | za |

31

ba

Eu vejo a barriga do bebê.

| baba | bebi |
| bebê | babo |

ba be bi bo bu
Ba Be Bi Bo Bu

ba be bi bo bu
Ba Be Bi Bo Bu

Cubra o tracejado e copie:

baba _____ _____
bebê _____ _____
bebi _____ _____
babo _____ _____

Ligue:

babo — bebi
baba — babo
bebi   baba

Leia:

babo   aba
beba   oba
bebo   boa
bebi   boi

O bebê baba.

Complete:

ba ____ ____ ____ ____

Cubra o tracejado e copie:

babo _____ _____
bebo _____ _____
bebi _____ _____
aba _____ _____
oba _____ _____
boi _____ _____

cachorro

ca

O cachorro bebe na cuia.

| caco | cuca | cai |
| coco | cuco | coa |

ca co cu
Ca Co Cu

ca co cu
Ca Co Cu

Cubra o tracejado e copie:

caco _____ _____
coco _____ _____
cuco _____ _____
cai _____ _____

Leia:

A cuia é de coco.

cabo   bica
cabe   bico
cubo   boca

Copie:

_ca_   ____   ____

Cubra o tracejado e copie:

cabo   ____   ____
bico   ____   ____
boca   ____   ____

Ligue:

   boca

   bico

   coco

dado
da

O dado é da Didi.
— Dá... dá...
— Didi, dê o dado ao bebê.

dado	dia	ditado
dada	deu	caduco
dedo	dói	cadeado

da de di do du
Da De Di Do Du

da de di do du
Da De Di Do Du

Ligue:

dedo

dado

dada

Complete:

da di do de du

da _____ _____ _____ _____

Cubra o tracejado e copie:

dado _____ _____
dedo _____ _____
dia _____ _____
ditado _____ _____

Pinte da mesma cor os balões com sílabas iguais:

do de di du
da di do de da
        du

Separe as sílabas:

| dado | | |

faca
fa

A faca é afiada.
– Ui, meu dedo!...
– Cuidado, Fábio!

faca	fui	fio
fada	fubá	fica
fofa	bife	fofo
foi	afiada	foca

fa fe fi fo fu
Fa Fe Fi Fo Fu

fa fe fi fo fu
Fa Fe Fi Fo Fu

Ligue:

faca

fada

Escreva com letra de mão:

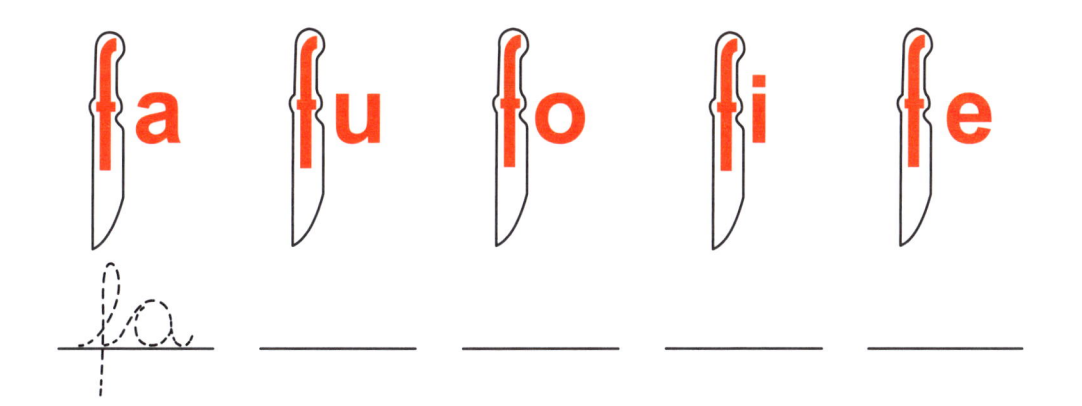

fa fu fo fi fe

fa _____ _____ _____ _____

Cubra o tracejado e copie:

faca   *fada*   *fubá*

Leve a fada até o seu nome:

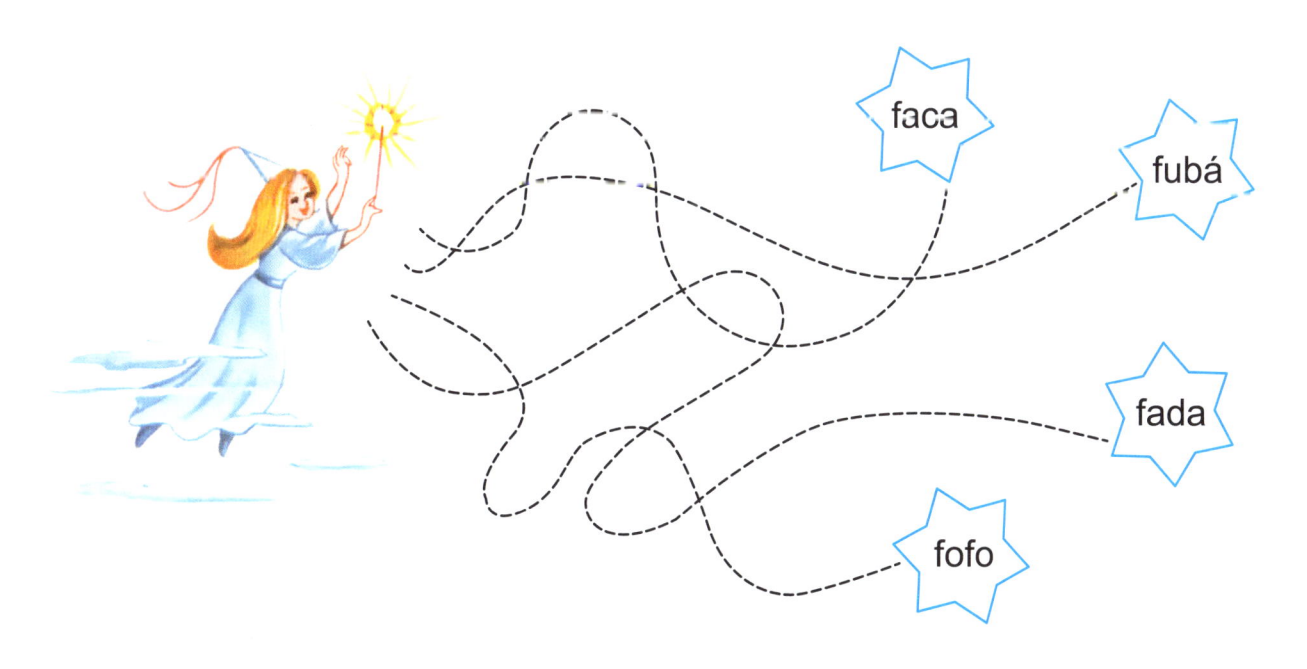

faca

fubá

fada

fofo

gato
ga

O gato é da Didi.
O gato bebe água.

figa	diga	água
figo	digo	aguada
fogo	fuga	goiaba

ga go gu
Ga Go Gu

ga go gu
Ga Go Gu

Copie ligando:

fi 〈 ga _____
   go _____

di 〈 ga _____
   go _____

Escreva com letra de mão:

ga go gu

ga _____ _____

Copie:

diga *figo* *fogo*

_____ _____ _____

_____ _____ _____

_____ _____ _____

Encontre as palavras iguais e marque com ☒:

| figo | fogo |

diga ☐   fogo ☐
digo ☐   água ☐
figo ☐   fuga ☐

jarra
ja

Na jarra há cajuada.
Cajuada é de caju.

jaca	jeito	caju
jato	joia	cajuada
jogo	jiboia	ajuda

ja　je　ji　jo　ju
Ja　Je　Ji　Jo　Ju

ja je ji jo ju
Ja Je Ji Jo Ju

Ligue:

jaca　　　jogo

jeito　　　jaca

jogo　　　jeito

Escreva com letra de mão:

ju ja je ji jo

ju _____ _____ _____ _____

Copie:

jaca _____   jiboia _____

jeito _____   jogo _____

caju _____   joia _____

Complete com a palavra certa:

| café | | caju |

Cajuada é de ....

Copie ligando:

ca ⟨ ju _____
     já _____

ja ⟨ ca _____
     to _____

ji ⟨ pe _____
     ló _____

jo ⟨ ga _____
     go _____

laranja

la

Bebê pede a laranja.
É laranja-lima.

bala	ele	liga
cola	ela	lobo
bola	ali	loja
bule	alô	lago

la   le   li   lo   lu
La   Le   Li   Lo   Lu

la le li lo lu
La Le Li Lo Lu

Forme palavras:

ba	bo
la	lo

_____
_____
_____

Pinte as laranjas e copie as sílabas:

la   lu   li   lo   le

la _____ _____ _____ _____

Complete o nome das bonecas:

Lalá   Lelé   Lili   Loló   Lulu

Lalá _____ _____ _____ _____

Escreva os nomes:

Separe as sílabas:

| bola | *bo* | *la* |
| bule | | |

| galo | | |
| lobo | | |

— 45 —

macaco

ma

Mico é o macaco.
Ele comeu a comida do gato.
O gato mia: "Miau, miau!".

mala	ama	mula
medo	uma	muda
moda	meu	amigo
mola	mia	melado

| ma | me | mi | mo | mu |
| Ma | Me | Mi | Mo | Mu |

ma me mi mo mu
Ma Me Mi Mo Mu

Forme palavras:

mo	la
a	ma

_____ _____

_____ _____

— 46 —

Escreva com letra de mão:

ma   mo   mi   mu   me

ma ___ ___ ___ ___

Complete:

Mico é o ....
Ele .... a .... do gato.
O gato ....: "Miau, miau!".

Copie juntando os pedacinhos:

ma { la _____
     ma _____

mi { a _____
     co _____

me { do _____
     la _____

mo { da _____
     la _____

O gato quer brincar!
Escreva no balão como ele mia:

navio

na

O navio é do Fábio.
Didi pega o navio.
O menino fala:
– O navio é meu.

nabo	boné	numa
nada	boneca	nuca
nome	caneca	canudo
cano	canela	menino
banana	janela	menina

Leia, cubra o tracejado e copie:

na	ne	ni	no	nu
Na	Ne	Ni	No	Nu

na ne ni no nu
Na Ne Ni No Nu

Escreva no balão o que Fábio falou:

Complete:

o menino    a ....

o macaco    a ....

o gato    a ....

Ligue ao desenho a frase que corresponde a ele:

Fábio dá banana ao Mico.

O macaco come a banana.

Escreva os nomes:

_____ _____ _____ _____

pato

pa

O pato é do papai do bebê.
Papudo é o nome do pato.

papai	pula	pé
papo	pia	pego
pega	piada	peludo
pena	pipoca	papudo

pa   pe   pi   po   pu
Pa   Pe   Pi   Po   Pu

pa pe pi po pu
Pa Pe Pi Po Pu

Complete com pa ou po:

pa........   pi........ca

co........   ....pai

Pinte os patinhos e complete:

po　**pa**　**pi**　**pe**　**pu**

po ____ ____ ____ ____

Leia:

A pipoca pula na panela.
Papai come pipoca.
Fábio come pipoca.

Complete:

a .... pula na ....

.... come ....

.... come ....

Copie juntando os pedacinhos:

pa ⟨ pa _____
       po _____

pi ⟨ a _____
      pa _____

pe ⟨ ga _____
       na _____

pu ⟨ lo _____
       la _____

rato

ra

O rato rói tudo.
Rói a roda.
Rói a rede.
Rói a roupa.
O gato da Didi pega o rato.

rabo	rua	rio
ralo	rude	rifa
rede	ruga	rádio
remo	rumo	roupa
rei	rolo	remédio

ra　　re　　ri　　ro　　ru
Ra　　Re　　Ri　　Ro　　Ru

ra re ri ro ru
Ra Re Ri Ro Ru

Copie:

ra **ro** **re** **ri** **ru**

ra _____ _____ _____ _____

Leia as 3 orações e copie:

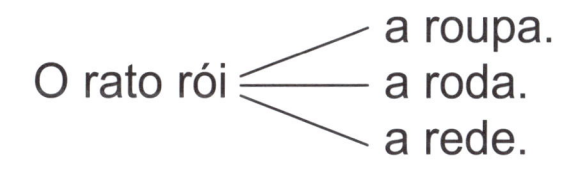

O rato rói — a roupa.
— a roda.
— a rede.

_____

_____

_____

Marque o certo com ☒.

O que o rato roeu?

régua ☐
rede ☐
rádio ☐
roupa ☐
roda ☐

Escreva os nomes **roda**, **rato** e **rei**:

_____

_____

_____

sapo

sa

Didi viu um sapo no sítio.
O sapo pulou... pulou...
Sumiu na água do lago.

sala	sigo	sede
salada	sino	selo
salame	sela	sujo
sopa	sola	suja
semana	sono	suado

sa se si so su
Sa Se Si So Su

Copie:

so   si   sa   su   se

so _____ _____ _____ _____

Complete e leia:

Didi viu um .... no sítio.
O sapo pulou... pulou...
.... na água do lago.

Ligue o nome ao desenho:

sala   sela
saia   sopa
sapo   sino

Separe as sílabas. Veja o modelo:

sapo | sa | po |

salada | | | |

semana | | | |

tapete
ta

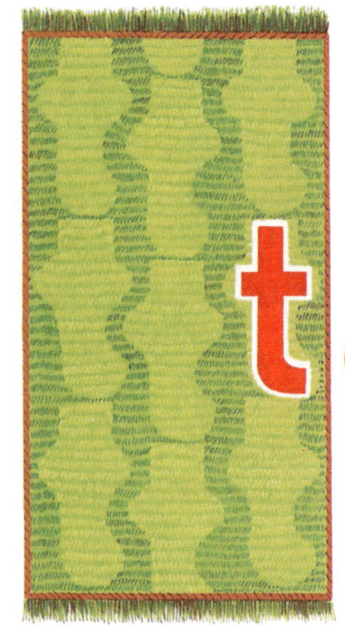

Bebê pula no tapete.
Bebê rola no tapete.
Totó pula e late.

tapete	lata	tua
tatu	batata	tubo
titia	batida	tudo
tijolo	bota	rato
tomate	botina	pato

ta te ti to tu
Ta Te Ti To Tu

ta te ti to tu
Ta Te Ti To Tu

Copie:

ta	to	tu	te	ti
ta	___	___	___	___

Leia e copie:

tatu	batata	tomate
tijolo	peteca	bota

Ligue o nome ao desenho:

tijolo

tomate

tapete

batata

bota

lata

— 57 —

vaca

va

A vaca é a Violeta.
O vovô bebe leite de vaca.

vaca	viva	vovô
valeta	vivo	vovó
cava	uva	viola
cavalo	ovo	viúva

va	ve	vi	vo	vu
Va	Ve	Vi	Vo	Vu

va ve vi vo vu
Va Ve Vi Vo Vu

Forme palavras e escreva-as nas linhas ao lado:

a	i	o	u
va	ve	vi	vo

Copie:

va **vo** **vi** **ve** **vu**

va _____ _____ _____ _____

Leia e copie:

Viva o vovô!
Viva a vovó!
O vovô é meu amigo.
Sou amigo da vovó.

_____

_____

_____

_____

Escreva os nomes **vovó**, **uva**, **ovo** e **vovô**:

_____   _____   _____   _____

xadrez

xa

Bebê mexeu na caixa do xadrez.
Puxou... puxou...
A caixa caiu.

lixa	puxo	caixa
lixo	peixe	faixa
luxo	feixe	baixa
roxo	mexe	abaixa
coxa	remexe	ameixa

xa xe xi xo xu
Xa Xe Xi Xo Xu

xa xe xi xo xu
Xa Xe Xi Xo Xu

Complete:

Bebê .... na .... do xadrez.
A .... caiu.

Copie:

xa   xo   xi   xe   xu

xa _____ _____ _____ _____

Copie e estude para o ditado:

caixa	peixe	xale
lixo	ameixa	feixe

Separe as sílabas. Veja o modelo:

caixa | cai | xa | baixo | ☐ | ☐

lixo | ☐ | ☐ | bexiga | ☐ | ☐ | ☐

Copie ligando:

cai ╲
     ╲ xa   _____
bai ╱

pei ╲
     ╲ xe   _____
fei ╱

— 61 —

Zazá
za

Zazá mexe a comida na panela.
A comida da Zazá é muito boa.

zebu	azedo	dezena
zoeira	azeite	dúzia
zunido	azeitona	vazio
beleza	gazeta	buzina
moleza	azulado	juízo

Leia, cubra o tracejado e copie:

za   ze   zi   zo   zu
Za   Ze   Zi   Zo   Zu

Ordene as orações:

tocou   Papai   buzina   a   .

_____

azeitona   come   Didi   .

_____

zebu   O   água   bebe   .

_____

Escreva quantas sílabas tem cada palavra:

buzina ☐   zebu ☐   batizado ☐

Leia e complete:

Zazá vai à reza.
Zezé come azeitona.
Zizi toca buzina.
Zozó faz zoeira.
Zuzu fica azulada na rua.

Zazá vai à ....
.... *come* ....
.... *toca* ....
.... *faz* ....
Zuzu .... *na rua.*

cebola

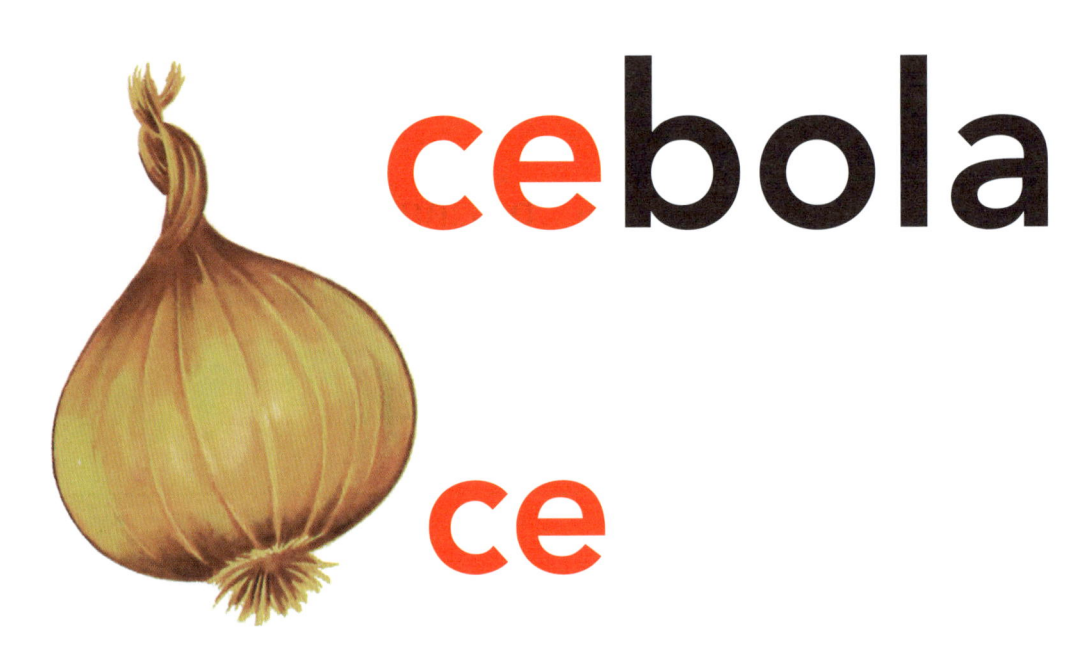

ce

Vovó come cebola.
E a Didi?
Come doce de leite.

cebola	cipó	você
cevada	cidade	doce
cedo	cinema	capacete
cega	bacia	recibo
céu	macio	vacina

ce ci
Ce Ci

ce ci
Ce Ci

Complete:

Didi come _____ .
Vovó come _____ .

Leia: Coitado do Totó!

Cecília foi cedo ao sítio.
Lá ela viu o Cipó.
Cipó deu um coice no Totó.
Cecília falou:
– Ui! Coitado do Totó!

Marque o certo com ⊠:

Cecília foi cedo ao ☐ cinema.
☐ sítio.

Complete:

.... deu um coice no Totó.

Escreva palavras com:

ce	ci
_____	_____
_____	_____
_____	_____

gema

ge

A gema é do ovo.
Bebê come gema de ovo.
Fábio toma gemada.

gema	tigela	relógio
gemada	fugiu	colégio
gelo	vigia	geme
gelado	mágica	gemido
geada	mágico	gibi

ge gi
Ge Gi

ge gi
Ge Gi

Copie juntando as sílabas:

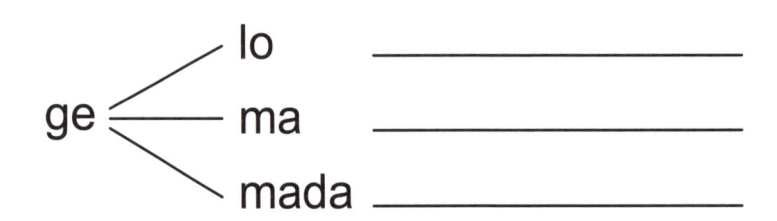

ge — lo _____
ge — ma _____
ge — mada _____

Escreva os nomes:

_____	_____	_____

Escreva palavras com:

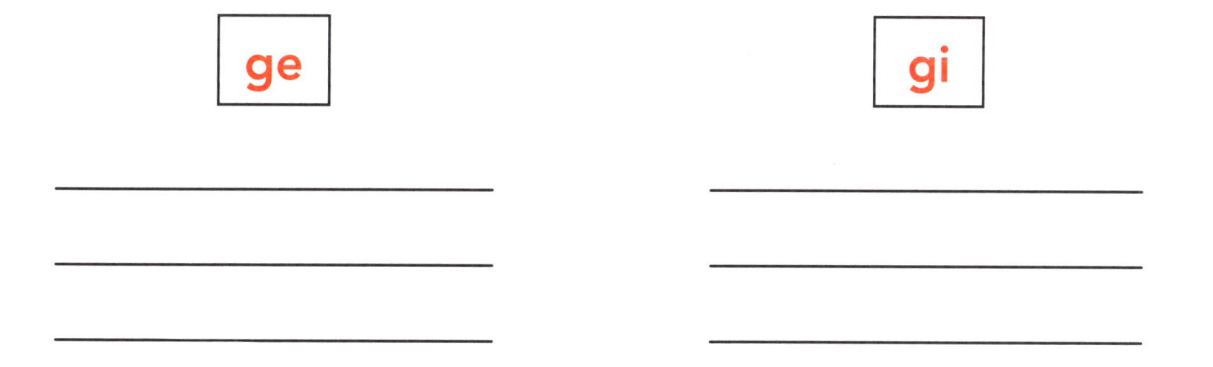

ge

_____
_____
_____

gi

_____
_____
_____

Forme orações com **gelo** e **relógio**:

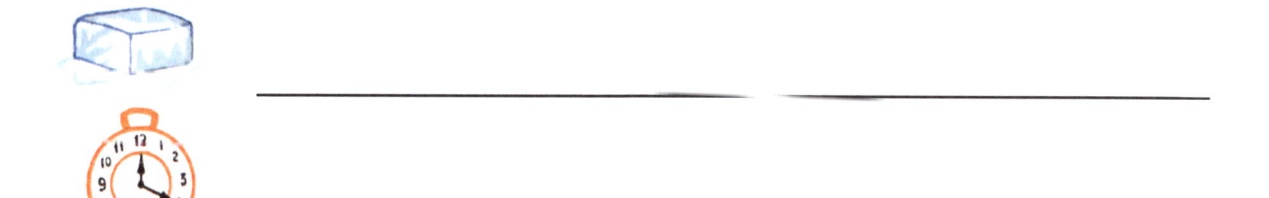

_____

_____

Escreva a oração na ordem correta:

ovo   Bebê   gema   come   de   .

_____

— 67 —

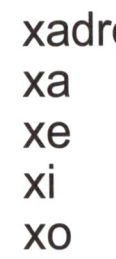

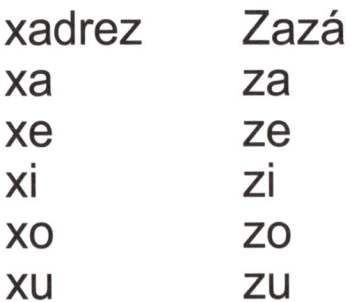

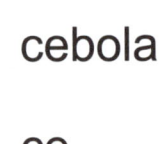

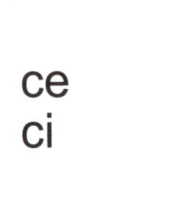

abelha	barriga	cachorro	dado	faca	gato	jarra
a	ba	ca	da	fa	ga	ja
e	be		de	fe		je
i	bi		di	fi		ji
o	bo	co	do	fo	go	jo
u	bu	cu	du	fu	gu	ju

laranja	macaco	navio	pato	rato	sapo
la	ma	na	pa	ra	sa
le	me	ne	pe	re	se
li	mi	ni	pi	ri	si
lo	mo	no	po	ro	so
lu	mu	nu	pu	ru	su

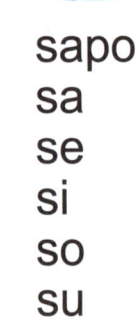

tapete	vaca	xadrez	Zazá	cebola	gema
ta	va	xa	za		
te	ve	xe	ze	ce	ge
ti	vi	xi	zi	ci	gi
to	vo	xo	zo		
tu	vu	xu	zu		

a – ba – ca – da – fa – ga – ja – la – ma

na – pa – ra – sa – ta – va – xa – za

ce – ci   ge – gi

a	abelha	a e i o u
b	barriga	ba be bi bo bu
c	cachorro	ca co cu
d	dado	da de di do du
f	faca	fa fe fi fo fu
g	gato	ga go gu
j	jarra	ja je ji jo ju
l	laranja	la le li lo lu
m	macaco	ma me mi mo mu
n	navio	na ne ni no nu
p	pato	pa pe pi po pu
r	rato	ra re ri ro ru
s	sapo	sa se si so su
t	tapete	ta te ti to tu
v	vaca	va ve vi vo vu
x	xadrez	xa xe xi xo xu
z	Zazá	za ze zi zo zu
	cebola	ce ci
	gema	ge gi

ga**rra**fa

rra

Bebê agarrou a garrafa.
Fábio correu e pegou a garrafa.
Bebê berrou... berrou...

barra	carro	corrida
berra	corre	barriga
burro	correio	arruma
terra	carrega	derruba
serra	barraca	serrote

Marque o certo com ☒:

Bebê agarrou
☐ a barraca.
☐ a barriga.
☐ a garrafa.

— 70 —

Leia: Zeca fez uma coisa feia

Zeca puxou o rabo do burro.
O burro derrubou o Zeca.
Ele caiu na terra e berrou:
– Socorro! Socorro!

Complete:

Zeca puxou o .... do ....
O burro .... o Zeca.
Ele caiu e berrou: – ....

Escreva no balão o que Zeca berrou:

Separe as sílabas. Veja o modelo:

burro *bur* *ro*   garrafa ____ ____ ____

ferro ____ ____   corrida ____ ____ ____

terra ____ ____   verruga ____ ____ ____

barata
ra

Didi viu a barata.
Ela atirou o sapato na barata.
– Xô! Xô! Barata.
– Xô! Xô! Barata.
A barata sumiu no buraco.

cara	arara	urubu
careta	arame	caruru
careca	arado	cururu
ferida	garoa	jururu
feriado	garapa	sururu

Marque o certo com ☒:

Didi viu a ☐ batata.
☐ barata.

Copie substituindo as imagens por palavras:

garota atirou o sapato na barata.

_____

A barata sumiu no assoalho.

_____

Forme palavras:

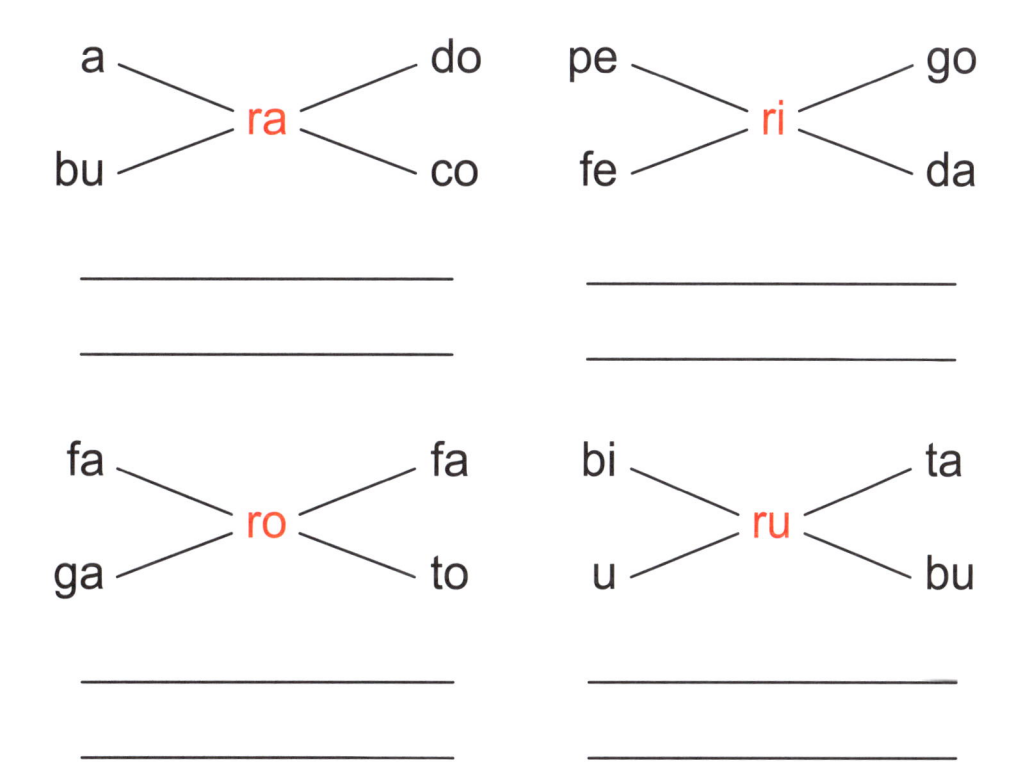

a ─── ra ─── do
bu ─── ra ─── co

_____
_____

pe ─── ri ─── go
fe ─── ri ─── da

_____
_____

fa ─── ro ─── fa
ga ─── ro ─── to

_____
_____

bi ─── ru ─── ta
u ─── ru ─── bu

_____
_____

Coloque o ou a antes das palavras:

_____ vara   _____ buraco

_____ peru   _____ girafa

_____ muro   _____ garota

— 73 —

pa**ssa**rinho

ssa

Veja o passarinho.
Ele bicou o pêssego.
O pêssego ficou furado.

assa	pássaro	isso
assado	passa	osso
massa	passado	ossudo
amassa	passeio	assina
tosse	pessoa	assobio

Complete:

O passarinho bicou o ....
O .... ficou furado.

— 74 —

Ordene as orações:

o bicou pássaro O pêssego .

_____

furado ficou pêssego O .

_____

Complete as palavras com ss:

ma.......a o.......o
mi.......a di.......e
pa.......a to.......e
pa.......eio pe.......oa

Separe as sílabas. Veja o modelo:

assa	*as*	*sa*
tossc		
pêssego			
osso		
assobio				
ossudo			

casa
sa

A casa é nova.
É toda amarela.
– Você já sabia?
Bebê mora nela.

casa	asa	risada
casaco	usa	camisa
casulo	usado	gasosa
rosa	vaso	música
roseira	mesa	raposa

Complete:

A casa nova é ....
Bebê mora na casa ....

Copie e estude para o ditado:

mesa — rosa — roseira

camisa — vaso — asa

besouro — risada — tesoura

Copie substituindo as imagens por palavras:

A ✂ caiu da 🪑 .

_____

Escreva uma oração com:

🪑 _____

🏠 _____

moça

ça

A moça amarrou uma fita na cabeça.
O laço ficou bonito!

moço	poço	açude
roça	laço	bagaço
caça	louça	pedaço
coça	caroço	cabeça
fumaça	carroça	caçula

ça ço çu

ça ço çu

Complete:

A .... amarrou uma fita na ....
O .... ficou bonito!

Copie completando com **ç**:

A mo....a mora na ro....a.
Ela tira água do po....o.
A mo....a lava a lou....a.

_____

_____

_____

Copie e estude para o ditado:

laço	cabeça	carroça
_____	_____	_____
fumaça	caroço	poço
_____	_____	_____

Forme palavras:

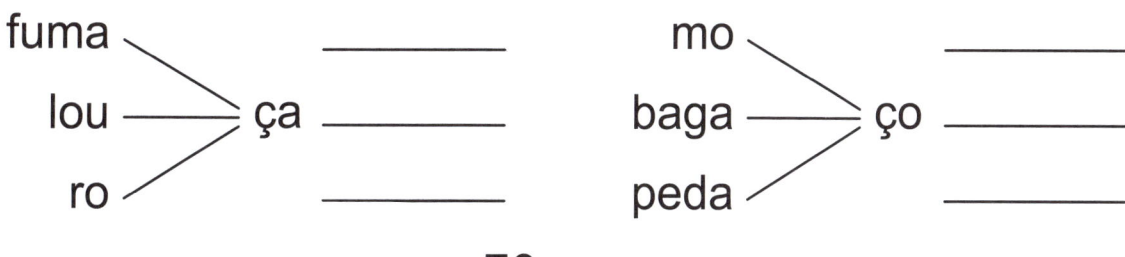

fuma _____   mo   _____
lou ça _____   baga ço _____
ro _____   peda _____

— 79 —

chapéu

cha

O chapéu é do Seu Chico.
Ele chegou e tirou o chapéu.
Seu Chico é educado.

chapéu chave chefe chega chinelo	achado machado fechado rachado cachorro	chocolate chuva chuveiro chuchu chupeta

Leia, cubra o tracejado e copie:

cha che chi cho chu
Cha Che Chi Cho Chu

Marque o certo com ☒:

O chapéu é do
☐ Seu Nico.
☐ Seu Chico.
☐ Seu Zico.

Seu Chico tirou
☐ o chinelo.
☐ a chuteira.
☐ o chapéu.

Separe as sílabas. Veja o modelo:

chapéu   cha   péu

chinelo _____ _____ _____

machado _____ _____ _____

chefe _____ _____

chocolate _____ _____ _____ _____

chuteira _____ _____ _____

Copie substituindo as imagens por palavras:

Bebê jogou a 🍼 pela 🪟.

O 🩴 novo é da vovó.

Vovô achou a 🔑 da 🏠.

_____

_____

_____

galinha

nha

Didi ganhou uma galinha.
Ela bota ovo no ninho.
– Có-có-ró-có! Có-có-ró-có!
A galinha viu uma minhoca.

lenha	minhoca	aranha
linha	desenhista	arranha
minha	ganhei	caminho
galinha	banheiro	gatinho
tenho	dinheiro	bichinho
ninho	galinheiro	nenhuma

Leia, cubra o tracejado e copie:

nha   nhe   nhi   nho   nhu

nha nhe nhi nho nhu

Ordene as orações:

uma   ganhou   Didi   galinha   .

_____

ovo   Ela   ninho   no   bota   .

_____

Leia depressa:

"O gato arranha o jarro,
o jarro arranha a aranha."

Dê o diminutivo:

gato — *gatinho*

pato — _____

garrafa — _____

casa — _____

Escreva uma oração com **gatinho**:

_____

telha
lha

Olhe esta telha.
Ela é feita de barro cozido.
O velhinho colocou a telha no telhado.

telha	alho	bilhete
velha	galho	velhinho
palha	milho	filhinho
palhaço	colhe	coelhinho
folha	recolhe	orelhudo

te **lha**   lha   lhe   lhi   lho   lhu

lha lhe lhi lho lhu

Responda:

Do que é feita a telha?

Vamos copiar?

lho lhi lha lhu lhe

lho ___ ___ ___ ___

Leia:

Olhe a casa do coelhinho!
É forrada de palha macia.
Ele comeu repolho e cenoura.
O coelho é orelhudo.

Assinale com um **x** a resposta:

O que o coelho comeu?

milho   repolho   nabo

chuchu   couve   cenoura

Forme uma oração com **coelho orelhudo**:

_____

4 quatro
qua

Veja o número quatro.
Quatro começa com **qua**.
No aquário há quatro peixinhos.
Bebê olha os peixinhos.

taquara	aquário
taquarinha	aquarela
qualidade	quase

qua   quo
Qua   Quo

qua quo
Qua Quo

Complete:

Bebê olha os ....

No .... há .... peixinhos.

— 86 —

queijo
que

O pai do Bebê ganhou um queijo.
O queijo pesa um quilo.
O queijo é feito de leite.

queijo	quero	leque
queima	aqui	moleque
queixa	aquilo	boquinha
queixo	caqui	faquinha

que   qui
Que   Qui

que qui
Que Qui

quilo
qui

Passe para o diminutivo:

boca — *boquinha*

moleque — _____

taquara — _____

faca — _____

asno

as

O asno está no pasto.
Fábio jogou uma espiga de milho para ele.
Olha como ele abana o rabo!
É para afastar as moscas.

asno	festa	cascas
escola	fosco	moscas
isca	gosta	discos
petisco	pesca	cestos

as	es	is	os	us
As	Es	Is	Os	Us

as es is os us
As Es Is Os Us

Responda:

Por que o asno abana o rabo?

_____

Leia: O vestido da Didi

Didi está de vestido novo.
Ganhou-o de seus pais.
Aonde vai você, Didi?
– Vou à festa na escola.

Responda:

Como é o vestido da Didi?

_____

Aonde ela vai?

_____

Complete:

a espiga   as ....
o vestido   os ....
a mosca   as ....
a cesta   as ....
o disco   os ....

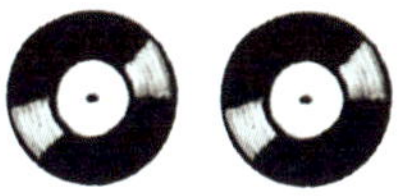

árvore

ar

No sítio há belas árvores.
Didi vai passar debaixo das árvores.
Ela gosta de ver os passarinhos nos galhos.

mar	árvore	cortar
par	armário	dormir
lar	ervilha	partir
dor	berço	arder
quer	quarto	marchar

ar   er   ir   or   ur
Ar   Er   Ir   Or   Ur

ar er ir or ur
Ar Er Ir Or Ur

Complete:

No sítio há ....
Didi vai ver ....

Leia: No parque

– Ufa! Que calor!
– O sorveteiro está no parque.
– Vamos tomar sorvete, Carlito?
– Boa ideia, Artur!

Marque o certo com ☒:

O sorveteiro está
☐ na rua.
☐ no largo.
☐ no parque.

Complete as palavras com:

| car | ber | bar | for | lar | par |

............ço ....te ....que
............ta ....co ....go

Complete como o modelo:

fala   cala   para   come   sabe

falar _____ _____ _____ _____

anjo

an

Titia pintou um anjo
parecido com o bebê.
E, sorrindo, disse a ele:
– Este anjinho é você!

anjo	lenço	andando
angu	longe	escutando
enxada	cinto	abanando
junto	quando	latindo
onça	quente	contente

an en in on un
An En In On Un

Responda:

Com quem se parece o anjo?

_____

Leia: O susto

Fábio ia andando pelo mato.
De repente, ouviu um barulho e teve medo.
Parou e ficou escutando.
Logo apareceu Totó latindo e abanando o rabo.
Ficou contente ao ver Fábio!

Responda:

Por onde Fábio ia andando?
_____

Por que ele teve medo?
_____

Como apareceu Totó?
_____

Copie completando com **n**:

ba.....da _____   mo.....te _____

de.....te _____   ci.....to _____

ja.....ta _____   po.....te _____

ge.....te _____   pi.....go _____

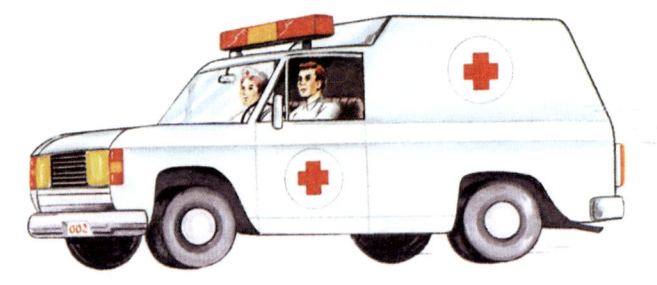

ambulância
am

A ambulância chegou.
O que terá acontecido?
O pai de Joaquim está doente.
Ele é vizinho de Fábio.

ambulância	bomba	capim
empada	bumbo	jardim
cem (100)	tampa	amendoim
tem	tombo	também
quem	campo	bombom

am   em   im   om   um
Am   Em   Im   Om   Um

am em im om um
Am Em Im Om Um

Complete:

A _____ chegou.

O pai de _____ está doente.

Leia: O tombo

Joaquim subiu no muro.
Foi espiar a casa do vizinho.
De repente... tum!
Que tombo!
Por sorte caiu no capim.

Responda:

Onde subiu Joaquim?
_____

O que ele foi espiar?
_____

O que aconteceu com ele?
_____

Onde ele caiu?

_____

Complete com **m** e leia:

po.......ba   ba.......bu   onte.......   bo.......bo.......
to.......bo   ta........pa   capi.......   ta........bé.......
ca.......po   te........po   jardi.......   po.......po.......

alfinete

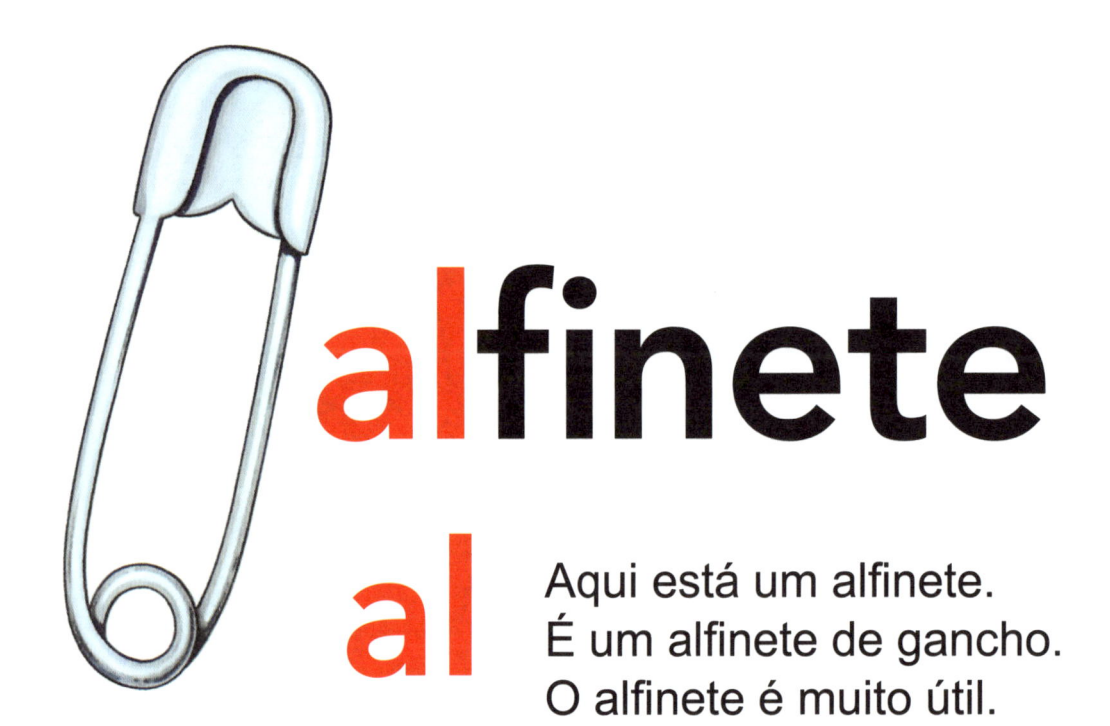

al

Aqui está um alfinete.
É um alfinete de gancho.
O alfinete é muito útil.

mal	balde	jornal
mel	bolso	anel
mil	calça	quintal
sal	falta	carretel
último	salgado	funil
almoço	soldado	azul

al el il ol ul
Al El Il Ol Ul

al el il ol ul
Al El Il Ol Ul

Complete:

O .... é de gancho.

O .... é muito ....

Leia: O jogo

– Vamos jogar bola no quintal?
A bola é azul da cor do céu.
Como pula alto!
– Gol! Gol!
Os meninos saltam contentes, chutando de cá para lá.

Marque o certo com ⊠:

Os meninos jogam bola
☐ na rua.
☐ na escola.
☐ no quintal.

Responda:

De que cor é a bola?
_____

Como ela pula?
_____

Escreva uma oração com **bola azul**:

_____

homem

ho

Sabem quem é este homem?
É o senhor Henrique,
pai do Joaquim.
Hoje ele saiu do hospital.
Já está curado.

homem hoje hora hospital hotel	há havia horta hortelã herói	hino história hélice Henrique Hugo

ha he hi ho hu
Ha He Hi Ho Hu

ha he hi ho hu
Ha He Hi Ho Hu

Releia a lição e complete as palavras:

......tel   ......pital   ......telã   ......lice
......mem   ......ra   ......ta   ......je

lã
ã

lãs
ãs

rã – rãs
maçã – maçãs
romã – romãs
avelã – avelãs
irmã – irmãs
manhã – manhãs

Escreva orações com:

 maçã	_____
 lã	_____
amanhã	_____

Ligue a frase correta ao desenho:

O novelo é de lã.
A rã está pulando.
Eu vejo a maçã.

avião aviões
ão   ões

Fábio jogou seu avião para João.
O menino falou:
– Avião, aviãozinho! Cai aqui na minha mão!
Mas o avião caiu no chão.

limão – limões
botão – botões
portão – portões
pião – piões
leão – leões

canecão – canecões
lição – lições
coração – corações
caminhão – caminhões
batalhão – batalhões

O que João falou?

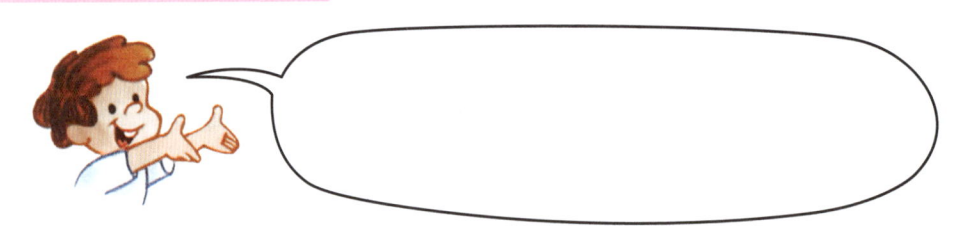

Leia os papeizinhos que o avião jogou:

mão, pão, cão, vão, tão, são, dão, não, chão

Junte formando palavras:

ba, me, ta, sa, pi — lão _____

bi, fa, minho, bo, cane — cão _____

Complete com uma qualidade diferente. Veja o modelo:

O avião **pequeno** é de Fábio.
O avião .... é de Fábio.

pão
ão

cão
capitão

pães
ães

cães
capitães

mãe
ãe

mamãe

mães
ães

mamães

mão
ão

vão
são
irmão

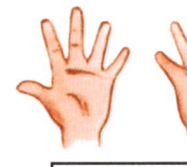

mãos
ãos

vãos
sãos
irmãos

ã – ãe – ão – ãs – ães – ãos – ões

Passe para o plural:

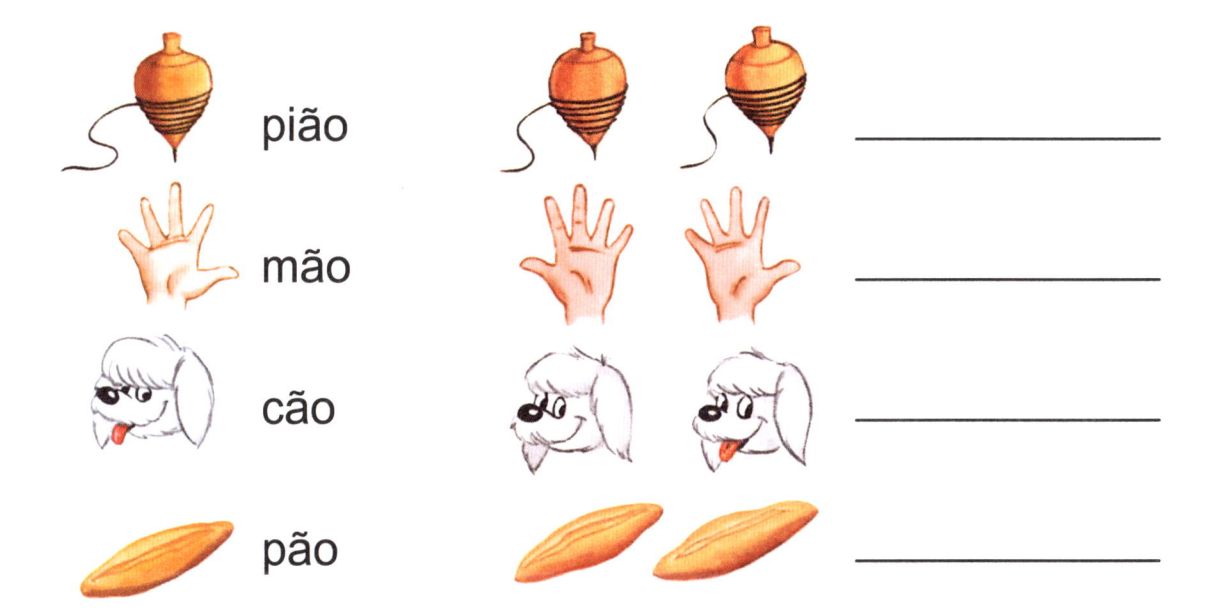

pião _____

mão _____

cão _____

pão _____

Forme orações com irmão e mãe:

_____

_____

Dê o aumentativo de:

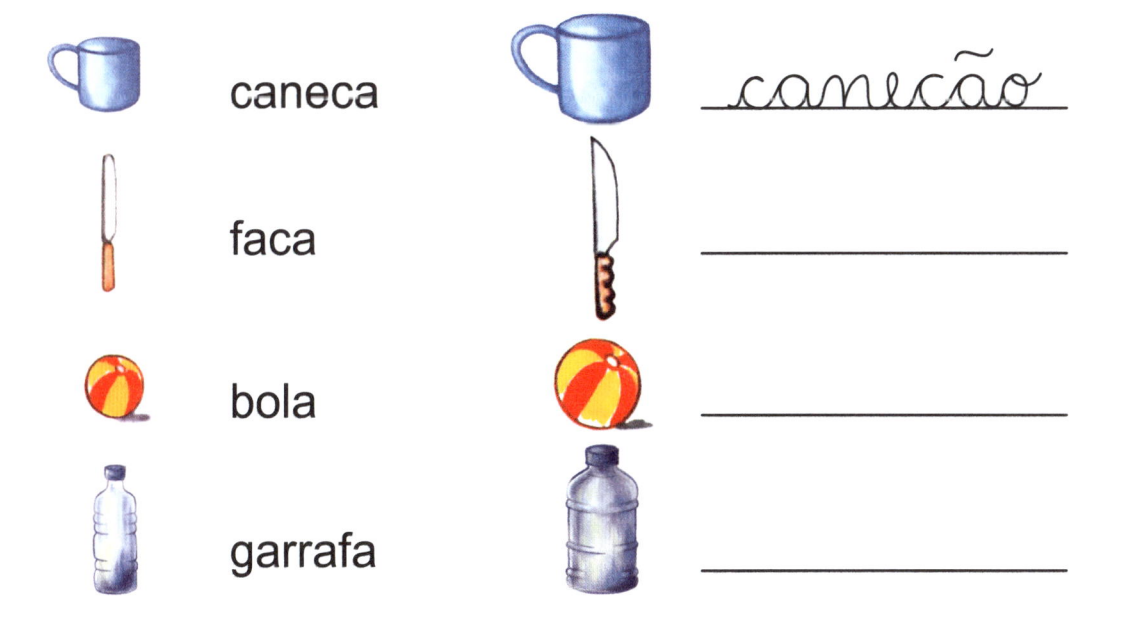

caneca _canecão_

faca _____

bola _____

garrafa _____

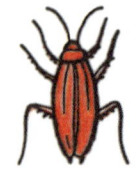

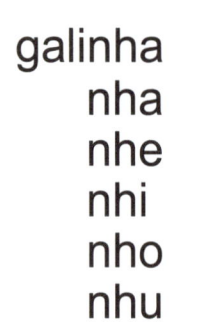

garrafa   barata   passarinho   casa

moça	chapéu	galinha	telha	quatro	queijo
ça	cha	nha	lha	qua	
	che	nhe	lhe		que
	chi	nhi	lhi		qui
ço	cho	nho	lho	quo	
çu	chu	nhu	lhu		

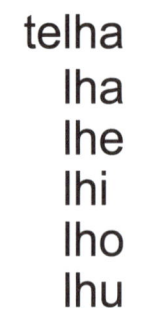

asno	árvore	anjo	ambulância	alfinete	homem
as	ar	an	am	al	ha
es	er	en	em	el	he
is	ir	in	im	il	hi
os	or	on	om	ol	ho
us	ur	un	um	ul	hu

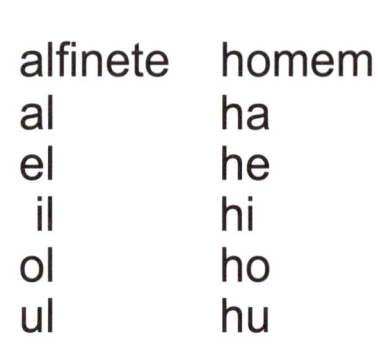

	garrafa	
	barata	
	passarinho	
	casa	
	moça	ça ço çu
	chapéu	cha che chi cho chu
	galinha	nha nhe nhi nho nhu
	telha	lha lhe lhi lho lhu
	quatro	qua quo
	queijo	que qui
	asno	as es is os us
	árvore	ar er ir or ur
	anjo	an en in on un
	ambulância	am em im om um
	alfinete	al el il ol ul
	homem	ha he hi ho hu
	ã ãe ão	ãs ães ãos ões

– Barata rabi,
O que veio fazer aqui?
Saia daqui!

– O jeito é fugir.
Vou me esconder aqui!
Vou me esconder ali!

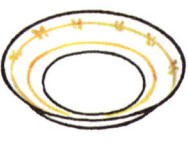

bra pra gra tra
fra vra cra dra

braço	cravo	dragão	frade
bra	cra	dra	fra
bre	cre	dre	fre
bri	cri	dri	fri
bro	cro	dro	fro
bru	cru	dru	fru

gravata	prato	travesseiro	livro
gra	pra	tra	vra
gre	pre	tre	vre
gri	pri	tri	vri
gro	pro	tro	vro
gru	pru	tru	vru

braço	cravo	pedra	frade
breque	creme	pedreiro	freio
brinco	criado	padrinho	frio
broche	cromo	vidro	fronha
bruto	cruzeiro	madrugar	fruto

grade	prato	trapo	livra
greve	prego	trevo	livro
grito	primo	trigo	livre
grosso	promessa	trovão	livrinho
grude	prumo	truque	vrum

bra cra dra fra
Bra Cra Dra Fra

bra cra dra fra
Bra Cra Dra Fra

gra pra tra vra
Gra Pra Tra Vra

gra pra tra vra
Gra Pra Tra Vra

Leia depressa: Um prato de trigo para um tigre.
Dois pratos de trigo para dois tigres.
Três pratos de trigo para três tigres.

Complete:

........vo ....de pe........

........go ....ço li........

Fábio ganhou um trenzinho.
Ele gosta de brincar com o trem.
O trem corre sobre trilhos.

trenzinho	branco	tranca
trinco	brinquedo	trança
trinta	grampo	tromba
prende	grande	tronco
príncipe	frango	frente

Escreva um ou uma antes das palavras:

.... trenzinho .... tromba

.... tranca .... frango

.... brinquedo .... trança

.... príncipe .... grampo

foguete
gue

O foguete vai subir.
É um foguete espacial.
O astronauta guia o foguete.
Ele vai até a Lua.

foguete	pessegueiro	guia
foguiera	formigueiro	guidão
figueira	guerra	guitarra
mangueira	guerreiro	amiguinho

gue gui
Gue Gui

Forme uma oração com **foguete espacial**:

Bebê ganhou seis balões.
Em cada um há uma sílaba.
Didi vai estourar os balões com o cabinho da laranja.
Vamos ajudar Didi?
Começando em: 4... 3... 2... 1... 0!

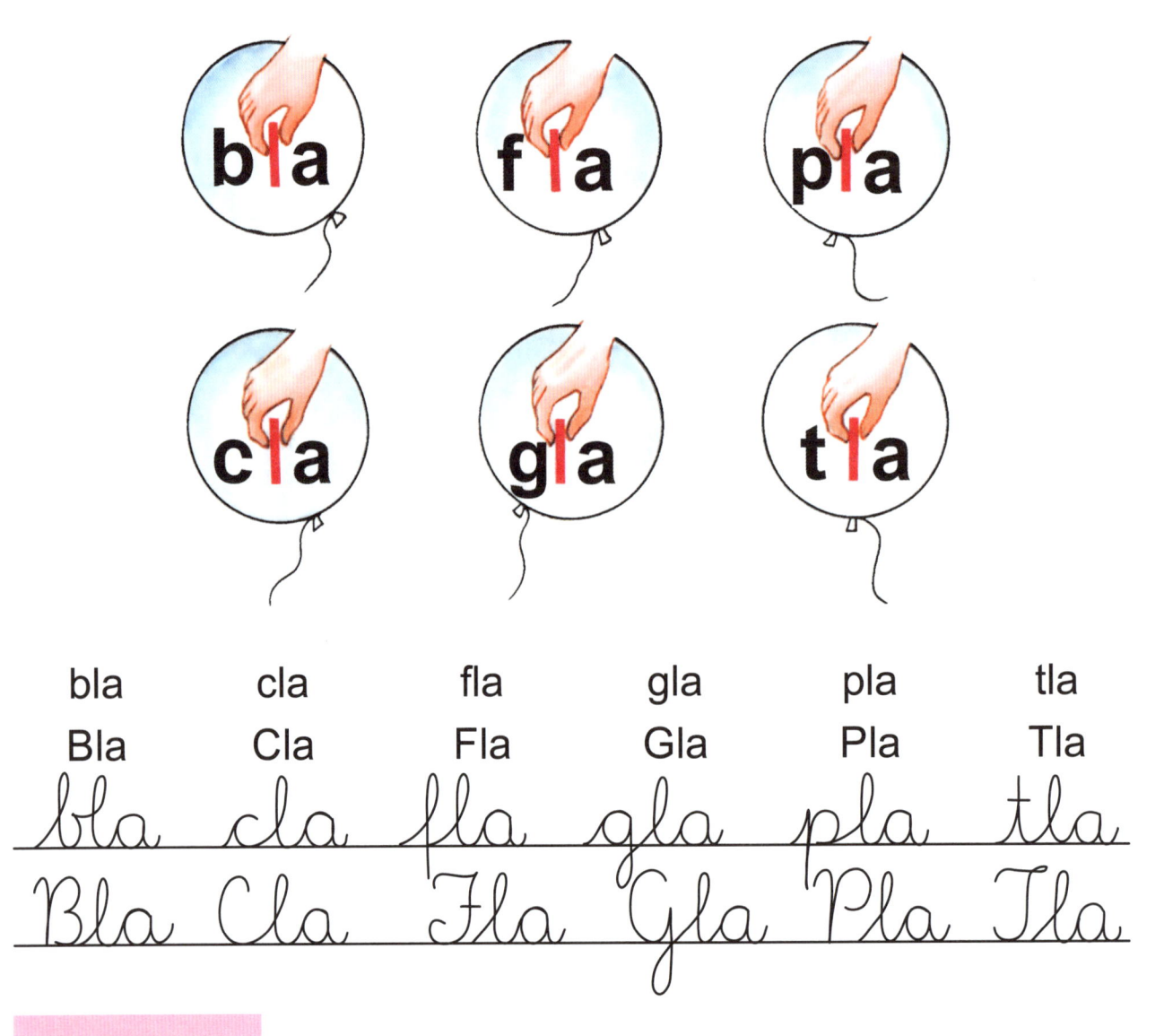

bla   cla   fla   gla   pla   tla
Bla   Cla   Fla   Gla   Pla   Tla

bla cla fla gla pla tla
Bla Cla Fla Gla Pla Tla

Responda:

Quem ganhou seis balões?

Leia:

blusa	Clarinha	flauta
blusinha	claro	flanela
blusão	classe	flor
bloco	clube	flores

globo	placa	atleta
glória	pluma	atlética
gloriosa	plano	atlas
glu-glu	planta	tlim-tlim

Passe para o plural:

a blusa — as ....

a flauta — as ....

a flor — as ....

rapaz	dez	nariz	noz	cruz
capaz	fez	feliz	voz	luz
cartaz	vez	juiz	feroz	capuz
paz	xadrez	raiz	arroz	reluz

az   ez   iz   oz   uz

az ez iz oz uz

Hoje o bebê fez muitas artes:
    derrubou o xadrez do vovô;
    rasgou o cartaz do titio;
    pegou o capuz da Didi;
    puxou o nariz da mamãe.
Bebê está ficando levado!

Escreva três artes do bebê:

___
___
___

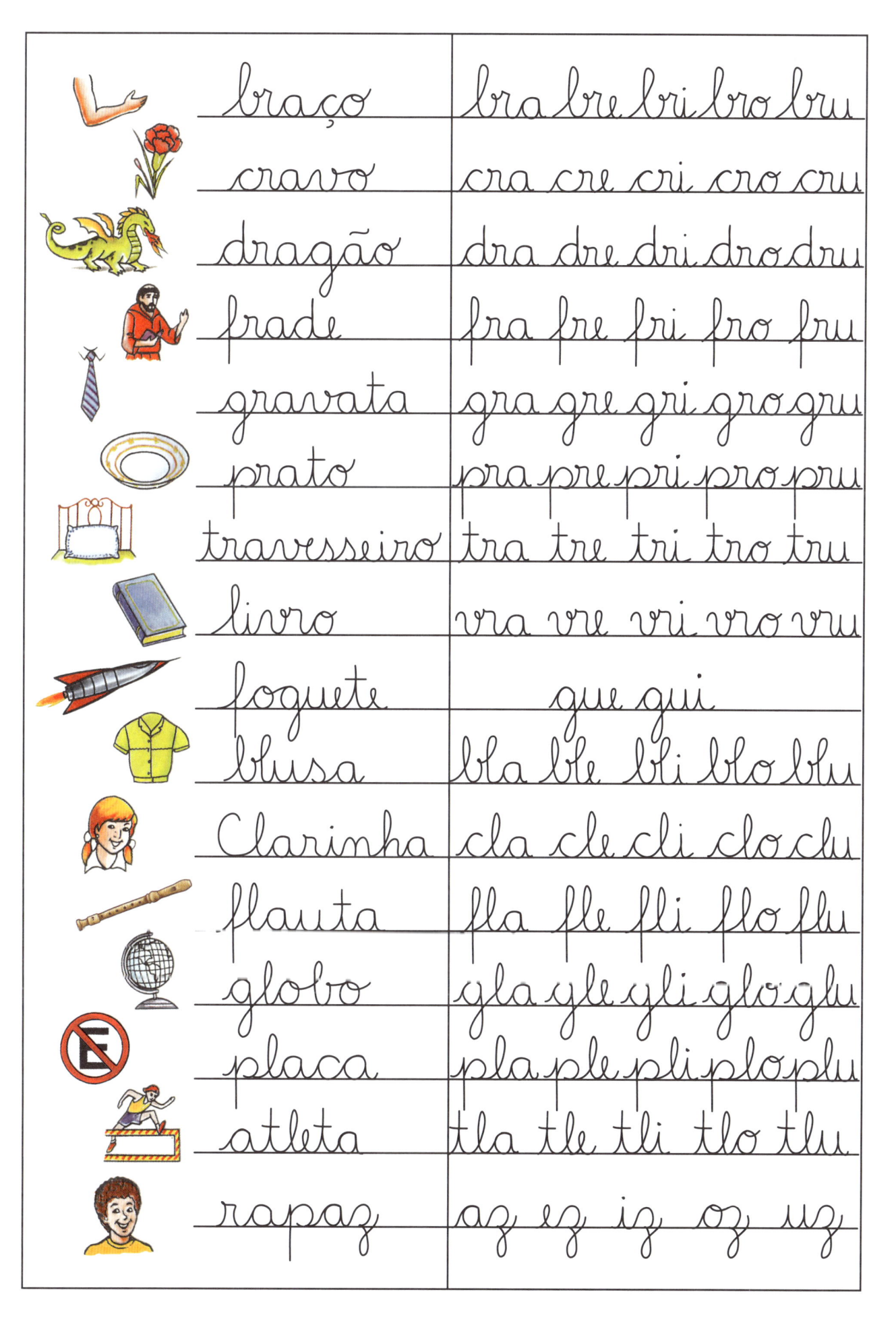

	braço	bra bre bri bro bru
	cravo	cra cre cri cro cru
	dragão	dra dre dri dro dru
	frade	fra fre fri fro fru
	gravata	gra gre gri gro gru
	prato	pra pre pri pro pru
	travesseiro	tra tre tri tro tru
	livro	vra vre vri vro vru
	foguete	gue gui
	blusa	bla ble bli blo blu
	Clarinha	cla cle cli clo clu
	flauta	fla fle fli flo flu
	globo	gla gle gli glo glu
	placa	pla ple pli plo plu
	atleta	tla tle tli tlo tlu
	rapaz	az ez iz oz uz

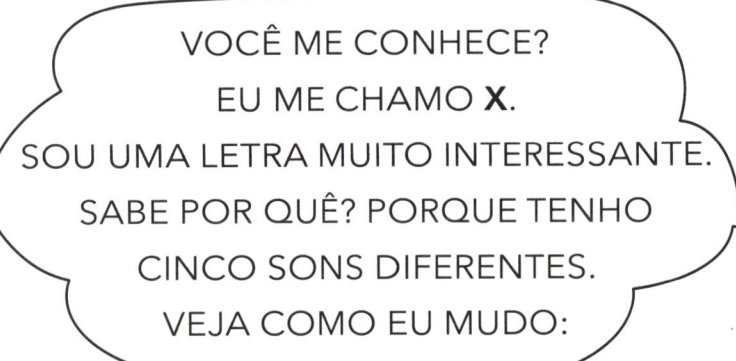

VOCÊ ME CONHECE?
EU ME CHAMO **X**.
SOU UMA LETRA MUITO INTERESSANTE.
SABE POR QUÊ? PORQUE TENHO
CINCO SONS DIFERENTES.
VEJA COMO EU MUDO:

peixe
feixe
xarope
caixa
lixo
bexiga

x → ch

x → ss

próximo
auxílio
trouxe
máximo

explicar

exposição

exclamou

sexta-feira

x → s

x → z

exercício

exemplo

exame

exército

fixo

crucifixo

táxi

reflexo

x → cs

Leia:

Sexta-feira vovô estava resfriado e com tosse.
Papai chamou o médico.
O doutor chegou de táxi e examinou o vovô.
Receitou xarope.
Papai trouxe um vidro da farmácia.
Agora, quando vovô tosse, o caçula fala:
– Vovô, toma xarope.
O vovô já está quase bom.
Logo poderá sair e passear com o netinho.

Responda:

Em qual dia o vovô ficou doente?

_____

Como chegou o doutor?

_____

O que ele fez?

_____

O que receitou ao vovô?

_____

O que fez o papai?

_____

– Parabéns a você,
nesta data querida...

Fábio completou oito anos de idade.
Ganhou uma caixa de bombons de seu padrinho.
Estavam embrulhados em papel transparente.
Fábio deu alguns aos seus irmãos.
Comeu os outros num instante.

instante	transporte	bens
inspetor	transportar	bons
instituto	transparente	bombons
construir	rins	uns
constipar	jardins	alguns

Complete com o plural:

um pudim — *uns pudins*
um bombom — _____
um jardim — _____
um patim — _____

1 km

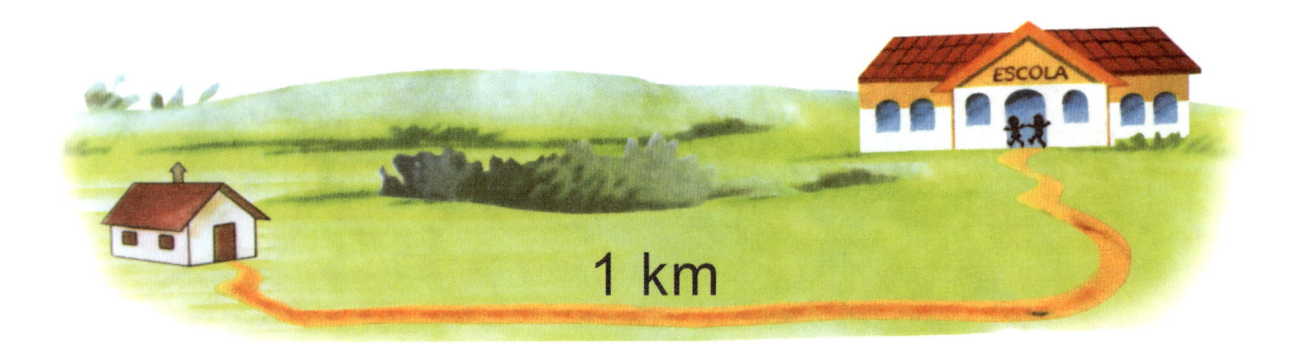

Fábio estuda em uma escola grande e bonita.
A casa de Fábio fica a 1 km da escola.
Sua professora, Dona Érika, ensina muito bem e com bastante carinho.

Vamos conhecer alguns nomes dos colegas de classe de Fábio:

K	W	Y
Kauê Karina Kátia Kelly	Wagner Washington Wilson Wanderley	Yara Yuri Yago Yvone

K, W, Y são 3 letras que fazem parte do nosso alfabeto.

Os dois irmãos

O **m** e o **n** são dois irmãozinhos.
O mais velho é o **m**. Por ser muito
acanhado, o **m** prefere ficar sozinho no final das
palavras ou então na companhia de seus dois amigos: **b** e **p**.
Por isso, antes de **b** e **p** só se escreve **m**.

bo**m**ba   ca**m**po   ve**m**
lo**m**bo   ta**m**pa   que**m**
ta**m**bor   te**m**po   ninguƩ**m**

O **n** é diferente. É alegre e
brinca com todas as outras letras.

a**n**gu   ja**n**ta   pi**n**go
e**n**xada   le**n**ço   de**n**te
sorri**n**do   mo**n**te   ge**n**te

Complete com m ou n as palavras:

po.......bo   po.......te   ba.......bu
sa.......ba   gra.......de   ame.......doi.......
ge.......te   capi.......   ba.......co
te.......   home.......   ca.......pinho
fi........   li.......po   ta.......bé.......

pai	mau	frio	dia	boi	meia
cai	pau	rio	chia	foi	teia
rei	meu	tio	vou	coa	feio
sei	teu	pio	sou	voa	veio

Acentuação

vovô	vovó	pá	ipê	pé
avô	filó	cá	você	é
bisavô	jiló	dá	lê	até
alô	pó	lá	vê	café
tricô	só	fubá	nenê	José
Nhonhô	nó	sabiá	bebê	Pelé

Escreva o que está faltando:

O vovo e a vovo vao ao jardim.
Vou a pe ate o clube.
O cafe esta na xicara.
O sabia fugiu da gaiola.
O bolo e de fuba.

— 120 —

(á)	(bê)	(cê)	(dê)	(é)
a A	b B	c C	d D	e E
(efe)	(gê)	(agá)	(i)	(jota)
f F	g G	h H	i I	j J
(cá)	(ele)	(eme)	(ene)	(ó)
k K	l L	m M	n N	o O
(pê)	(quê)	(erre)	(esse)	(tê)
p P	q Q	r R	s S	t T
(u)	(vê)	(dáblio)	(xis)	(ípsilon)
u U	v V	w W	x X	y Y
(zê)				
z Z				

a	e	i	o	u
ba	be	bi	bo	bu
ca	ce	ci	co	cu
da	de	di	do	du
fa	fe	fi	fo	fu
ga	ge	gi	go	gu
ja	je	ji	jo	ju
la	le	li	lo	lu
ma	me	mi	mo	mu
na	ne	ni	no	nu

u	o	i	e	a
bu	bo	bi	be	ba
cu	co	ci	ce	ca
du	do	di	de	da
fu	fo	fi	fe	fa
gu	go	gi	ge	ga
ju	jo	ji	je	ja
lu	lo	li	le	la
mu	mo	mi	me	ma
nu	no	ni	ne	na

| ça | ço | çu | ção | ções |

pa	pe	pi	po	pu
ra	re	ri	ro	ru
sa	se	si	so	su
ta	te	ti	to	tu
va	ve	vi	vo	vu
xa	xe	xi	xo	xu
za	ze	zi	zo	zu
cha	che	chi	cho	chu
nha	nho	lha	lho	lhu
ça	ço	çu	ção	ções

pu	po	pi	pe	pa
ru	ro	ri	re	ra
su	so	si	se	sa
tu	to	ti	te	ta
vu	vo	vi	ve	va
xu	xo	xi	xe	xa
zu	zo	zi	ze	za
chu	cho	chi	che	cha
lhu	lho	lha	nho	nha
ções	ção	çu	ço	ça

ha	he	hi	ho	hu
qua	que	qui	gue	gui
bra	bre	bri	bro	bru
cra	cre	cri	cro	cru
dra	dre	dri	dro	dru
fra	fre	fri	fro	fru
gra	gre	gri	gro	gru
pra	pre	pri	pro	pru
tra	tre	tri	tro	tru
blo	blu	cla	clu	fla

hu	ho	hi	he	ha
gui	gue	qui	que	qua
bru	bro	bri	bre	bra
cru	cro	cri	cre	cra
dru	dro	dri	dre	dra
fru	fro	fri	fre	fra
gru	gro	gri	gre	gra
pru	pro	pri	pre	pra
tru	tro	tri	tre	tra
fla	clu	cla	blu	blo

DIPLOMA

O(A) aluno(a) _____

da Escola _____

foi alfabetizado(a) pela cartilha **Caminho Suave** e está apto(a) a passar para o 1º livro.

_____
Cidade e data

_____
Professor(a)